EUX SUR LA PHOTO

Hélène Gestern

EUX SUR LA PHOTO

roman

arléa
16, rue de l'Odéon, 75006 Paris
www.arlea.fr

Collection "Arléa-Poche"
– dirigée par Claude Pinganaud –
– N° 201 –

Hélène Gestern remercie Gérald Tenenbaum

Pour retrouver l'auteure :
www.helene-gestern.net

Octobre 2013
EAN 9782363080394
Août 2011 – Arléa

À la mémoire de Madeleine Lamay

I
L'OMBRE

Toutes les images disparaîtront.

Annie Ernaux

1

La photographie a fixé pour toujours trois silhouettes en plein soleil, deux hommes et une femme. Ils sont tout de blanc vêtus et tiennent une raquette à la main. La jeune femme se trouve au milieu : l'homme qui est à sa droite, assez grand, est penché vers elle, comme s'il était sur le point de lui dire quelque chose. Le deuxième homme, à sa gauche, se tient un peu en retrait, une jambe fléchie, et prend appui sur sa raquette, dans une posture humoristique à la Charlie Chaplin. Tous trois ont l'air d'avoir environ trente ans, mais peut-être le plus grand est-il un peu plus âgé. Le paysage en arrière-plan, que masquent en partie les volumes d'une installation sportive, est à la fois alpin et sylvestre : un massif, encore blanc à son sommet, ferme la perspective, en imprimant à la scène une allure irréelle de carte postale.

Tout, dans ce portrait de groupe, respire la légèreté et l'insouciance mondaine. Pourtant, la jeune femme ne s'est pas départie d'un soupçon de gravité, que ne démentent pas tout à fait son sourire et la lumière malicieuse de son regard. Elle est grande, elle aussi, moins que l'homme qui lui parle, mais suffisamment pour donner l'impression d'une harmonie dans leurs allures. Son corps est élancé, sa beauté un peu austère, avec son visage allongé et ses pommettes hautes et rondes. Le creux des joues est balayé par des cheveux épais, courts, coupés au carré. Et un chapeau blanc, posé de côté, finit de rappeler les élégantes des photographies des Séeberger.

Son voisin est mince, presque trop pour un homme. Sa chevelure est blonde (châtain clair ? le noir et blanc ne permet pas de trancher), ondulée, coupée court sur les côtés. La transparence liquide de son œil permet de supposer des iris d'un bleu ou d'un gris très clair. Le reste du visage est doux, légèrement anguleux, avec des sourcils pâles, des traits délicats, une bouche aux lèvres minces. Le dernier des comparses, lui, est le plus petit des trois. Son corps nerveux et svelte est pris dans un polo clair ; il porte une moustache fine et un canotier, que n'aurait pas reniés un dandy fin de siècle. Si l'on en juge par son demi-sourire, joint à une pose volontairement affectée, il ne prend pas cette séance d'immortalisation très au sérieux ; le regard moqueur qu'il coule en biais vers la jeune femme au chapeau semble le confirmer.

Le grain de la photographie est épais et pointillé, flou si on la regarde de trop près ; le vieillissement du papier journal a fait virer l'ensemble au sépia. L'image illustre un article de journal, qui commente la victoire de Mme N. Hivert (catégorie dames) et de M. P. Crüsten (catégorie messieurs) au tournoi de tennis amateur d'Interlaken, le 16 juillet en fin d'après-midi, « sous un ciel limpide ». On y apprend que les deux lauréats ont remporté respectivement une coupe en pâte de verre de Daum et un nécessaire à écrire de voyage. On ignore en revanche comment s'appelle le deuxième homme, et ce qu'il fait sur le cliché. En haut de la coupure, une écriture manuscrite a annoté « N., Suisse, été 1971 ».

Ashford, le 25 mars 2007

Madame, Monsieur,

J'ai pris connaissance, avec plusieurs semaines de retard, de votre annonce réf. 284.220 parue dans le journal *Libération* en date du 12 février.

Je pense avoir des informations sur la personne que vous recherchez : il s'agit certainement de mon père, qui a souvent séjourné à Interlaken l'été. Je joins à cet envoi la photocopie d'une carte d'inscription au Tennis-Club de Genève, restée dans mes archives, qui date des années 60. Elle vous permettra de voir sa photographie.

Pourriez-vous me dire comment son nom est arrivé jusqu'à vous et la raison pour laquelle vous recherchez des informations sur lui ?

Avec mes meilleures salutations.

S. Crüsten

Paris, le 1ᵉʳ avril 2007

Madame, Monsieur,

Merci pour votre lettre, à laquelle je ne m'attendais plus. Cela faisait maintenant plus d'un mois que j'avais passé l'annonce dans plusieurs quotidiens français et suisses, et les deux réponses que j'avais reçues ne me paraissaient guère plausibles, compte tenu des lieux et des dates. La vôtre, en revanche, ne laisse aucun doute : ainsi, vous êtes le fils ou la fille de ce « P. Crüsten » dont j'ai trouvé la photographie et le nom dans les archives familiales. La jeune femme qui se tient à côté de lui sur la photo est ma mère, disparue quand j'avais trois ans. Elle s'appelait Nathalie Hivert, de son nom marital (je ne connais pas son nom de jeune fille).

Mon père n'en parlait presque jamais. Il est décédé il y a trois ans, et ma mère adoptive (il s'était remarié) est entrée depuis six mois dans une maison médicalisée, car elle souffre d'un Alzheimer sévère. C'est en cherchant les pièces nécessaires à son dossier médical que j'ai trouvé dans le bureau de mon père une chemise cartonnée sans titre ni commentaire. Elle contenait cette coupure de journal, que je vous photo-copie. Apparemment, ma mère et l'homme de la photo, votre père, ont participé à un petit tournoi de tennis, près d'Interlaken, et l'ont remporté chacun dans sa catégorie. Une gazette locale leur a consacré un article, en indiquant leur nom en guise de légende : c'est grâce à cet indice assez mince que j'ai pu passer l'annonce.

Je ne possède que peu d'informations relatives à ma mère, et je n'ai aucune famille qui pourrait me renseigner sur elle. Je suis en effet fille unique, et les deux sœurs de mon père, plus âgées que lui, sont mortes depuis plusieurs années. Cette photographie m'intrigue énormément ; j'aimerais identifier les personnes qui y figurent. Pourriez-vous m'en dire davantage sur votre père ? Savez-vous comment il a connu ma mère ? Est-il encore en vie ? Et surtout : accep-terait-il de me parler ?

J'espère que ces questions ne vous paraîtront pas trop indiscrètes. Tout renseignement me sera précieux.

Merci encore, en attendant, d'avoir répondu à mon annonce.

Bien à vous.

Hélène Hivert

Ashford, le 17 avril 2007

Chère Madame Hivert,

Pardonnez mon retard à vous répondre : je reviens d'un séjour d'une semaine à l'étranger, à Johannesburg, plus exactement, où je participais à un congrès (je suis biologiste).

Je suis heureux que ma lettre ait répondu à votre attente. Ne vous excusez pas pour vos questions : votre curiosité me semble bien légitime, et moi-même je suis assez désireux d'en savoir un peu plus sur une période de la vie de mon père dont il ne m'a jamais parlé. Mais je dois vous annoncer que vous ne pourrez malheureusement pas vous entretenir avec lui, car il est décédé l'an dernier, d'une embolie pulmonaire. Je ne puis donc que vous donner des informations indirectes sur sa vie, espérant qu'elles vous éclaireront un peu.

Mon père s'appelait Peter Crüsten, mais beaucoup de ses amis l'appelaient Pierre. Il était né en 1933, à Besançon, d'un père suisse naturalisé, établi là-bas depuis les années 20, et d'une mère française. Je n'ai pas connu mon grand-père, car il est mort d'un infarctus, assez jeune, après avoir fondé une imprimerie florissante. Elle existe d'ailleurs toujours aujourd'hui (les imprimés comptables Crüsten, ce sont eux). Mon père avait fait des études de chimie assez poussées, tout en pratiquant la musique – on dit qu'il était un pianiste doué quand il était jeune – mais avait finalement décidé de devenir photographe. Cela avait, paraît-il, beaucoup contrarié ma grand-mère. Je sais qu'il a été photographe aux Armées durant son service militaire, car j'ai pu voir quelques clichés de lui dans l'album de famille, où il pose en uniforme près de son appareil.

Après ses années de service militaire, qu'il a effectuées en Algérie, dans des conditions pas très drôles, mais qui auraient pu être largement pires, mon père a travaillé à Paris comme photographe indépendant. La légende familiale dit qu'il aurait fait un passage chez Harcourt, mais je n'en ai aucune preuve... Il a réalisé des photos impressionnantes, à la fin des années 60, de la ville en hiver : les chats errants du Père-Lachaise entre les tombes gelées, les bords de Seine sous la neige... Puis il est parti s'établir à son compte à Genève, où résidait une partie de notre famille paternelle. Il est vite devenu un artisan fort réputé dans son domaine de spécialité, les portraits familiaux. À la fin de sa vie, plusieurs assistants travaillaient pour lui, qu'il avait formés à son « style » ; lui-même n'exécutait presque plus aucune commande pour le public.

En revanche, il a toujours, et jusqu'au bout, pratiqué la photo pour son propre compte, non sans talent, mais sans jamais chercher la moindre reconnaissance. Nous avons encore, à Genève, plusieurs centaines d'albums, notamment des vues de paysages et d'ensembles architecturaux. L'un de ceux qui m'impressionnent le plus rassemble cent vues de passages parisiens, tous vides (je ne sais par quel miracle il est parvenu à en faire disparaître les habitants). Toute son œuvre est faite ainsi de photos splendides et énigmatiques, où l'on ne voit quasiment pas un seul être humain. Mon frère et moi pensons qu'il devait en avoir assez de photographier des visages à longueur de journée.

Je ne sais exactement quand mes parents se sont rencontrés : ma grand-mère m'avait parlé d'un bal organisé en l'honneur des jeunes filles du pensionnat où ma mère a fait ses études. On avait commandé un photographe pour immortaliser l'événement, et c'est mon père qui s'en est chargé. Il faut croire que son cliché a plu : ma mère et lui se sont mariés en 1962, et je suis né deux ans plus tard. J'ai également un frère, Philippe, de deux ans mon cadet. Nous habitions Genève, mais mes grands-parents possédaient un petit chalet à Interlaken, où nous avons souvent passé des vacances.

C'est le nom de cette villégiature, associé à celui de Crüsten, qui a tout de suite éveillé mon intérêt à la lecture de votre annonce. À ce propos, je peux vous dire qui était le troisième homme sur la photo : il s'agit de Jean Pamiat, un camarade de mon père, un peu plus jeune que lui, dont il avait fait la connaissance au service militaire. Ils avaient partagé pas mal d'épreuves là-bas, et Pierre l'avait embauché ensuite comme premier assistant photographe. Il l'a choisi comme parrain à ma naissance. Je lui en suis reconnaissant, car Jean a toujours été comme un second père pour mon frère et moi. Il est encore en vie, et je lui rends visite tous les deux ou trois mois, dans sa maison de retraite de Lausanne. Mais sa santé a fortement décliné depuis qu'un accident cardio-vasculaire l'a privé de l'usage de son côté droit, et dans une large mesure de la parole.

Mon père était un homme assez solitaire, taciturne, qui passait l'essentiel de son temps dans son studio, ou dehors pour ses chasses à l'image. Je sais peu de choses de son histoire. Je ne possède – paradoxe du cordonnier mal chaussé ! – que peu de photos où nous figurons tous les quatre... Ma mère, bien qu'elle ait été plus jeune que lui, est morte en 1994 d'un cancer du sein et, à partir de là, il s'est replié dans un mutisme presque complet. Le nom de votre mère ne me dit donc rien, et je ne crois pas me souvenir de l'avoir jamais entendu prononcer devant moi.

Lors de ma prochaine visite en Suisse, car j'habite maintenant dans le Kent, je vais effectuer quelques recherches dans les archives photographiques. Plusieurs dizaines de caisses sont entreposées dans la cave de la maison familiale, qui n'est toujours pas vidée, et je tenterai de voir si je retrouve des traces de ces séjours à Interlaken. Grâce à la coupure de journal que vous avez eu la gentillesse de m'envoyer, je connais maintenant le visage de votre mère : je pourrai essayer de la retrouver en feuilletant les albums.

En attendant, je vous adresse la photocopie – vous excuserez sa piètre qualité – d'un autoportrait que mon père avait réalisé l'année de ses trente-sept ans, et qui était accroché dans le chalet d'Interlaken. En le sortant du cadre pour le poser sur le copieur, j'ai découvert une inscription au verso, mais je suis incapable d'en lire la deuxième partie et je ne sais qui l'a faite. À toutes fins utiles, je vous l'envoie aussi.

Cette image de mon père est sans doute celle que je préfère, car il y est plutôt souriant. Sur la coupure de journal, je retrouve quelque chose de cette expression que nous avons rarement vue sur son visage. Quel dommage que je ne puisse plus interroger Jean sur ce qui s'est passé cet été 1970 !

Je ne manquerai pas de vous écrire si je trouve quelque chose susceptible de vous intéresser.

En attendant, recevez, chère Madame, mes sincères salutations.

Stéphane Crüsten

2

L'homme a choisi de poser devant un grand miroir qui laisse voir l'appareil photographique arrimé sur son pied, ainsi que le fond d'une pièce encombrée d'un plan de travail, de cadres et de tirages divers. Le mur supporte également un panneau de liège où sont punaisés des clichés, des cartes postales publicitaires, ainsi que deux vues de crêtes nuageuses. On distingue aussi, bien que le bord en soit occulté par une feuille de papier, une vieille photo, sans doute découpée dans un journal, qui représente quatre jeunes hommes en tenue de tennismen, autour d'un autre en costume noir. Quelques affiches de cinéma, l'annonce dans le style Art déco d'une représentation de *Véronique* à l'Opéra-Comique, avec Paulette Merval dans le rôle titre. L'épaule de l'homme masque l'angle inférieur gauche d'une reproduction en grand format, accrochée à mi-hauteur : celle d'un tableau – que l'on reconnaît pour être de Hopper – où une femme seule, assise sur un lit, regarde droit devant elle par une fenêtre. Bien que le noir et blanc en ait partiellement écrasé les couleurs, quelque chose est resté de la violence paisible de la toile, qui paraît condamner son héroïne à un silence minéral et éternel.

Même si aucun repère ne permet de l'évaluer, on devine que le sujet est d'une taille supérieure à la moyenne. Il porte une chemise claire à manches courtes et un pantalon à pinces, retenu par une élégante ceinture de cuir. Mais pas de cravate : dans l'échancrure du col, seule est visible la demi-lune d'un bijou, suspendu à une fine chaîne d'argent. L'examen au compte-fils révèle qu'il s'agit de la partie supérieure d'un anneau à la surface irrégulière. Le corps de l'homme est élancé, pas loin d'être maigre : les clavicules saillent légèrement sous l'étoffe de la chemise, et la main gauche, posée en appui sur la cuisse, laisse apparaître des doigts fins, dont les articulations renflées tranchent avec la minceur des phalanges. L'alliance est posée un peu bas sur l'annulaire, comme si elle avait glissé de quelques millimètres, tandis que la main droite, elle, est glissée dans la poche, pour donner une impression de naturel, après sans doute qu'elle a prestement actionné le bouton du retardateur.

L'homme se tient face au miroir, dans la lumière d'une fin de matinée printanière, qui découpe au mur des rectangles plus clairs. Sa chevelure a absorbé le parcours transversal des rayons solaires, et en ressort chargée de l'éclat d'une fourrure d'animal. Deux rides d'expression, comme des guillemets, barrent la zone intermédiaire des sourcils. Mais les yeux clairs ne cillent pas ; les quelques pattes d'oie qui les cernent indiquent que leur propriétaire est en marche vers la quarantaine.

Auréolé par le soleil oblique, il regarde le miroir avec une expression complice, comme s'il était en train de se faire photographier par une personne chère et non par l'objectif d'un Flexica. Au dos, une écriture régulière : « Autoportrait, atelier. Mai 1971 ». Puis d'un russe appliqué et maladroit, aux lettres formées comme celles des enfants : « моей лисе ».

Paris, le 9 mai 2007

Cher Monsieur Crüsten,

Je vous remercie bien sincèrement pour avoir pris le temps de m'adresser cette réponse circonstanciée, ainsi que cette photographie. J'avoue que l'annonce du décès de votre père m'a fait un petit choc, mais que j'ai repris espoir en lisant que vous possédiez des archives photographiques. Elles nous livreront peut-être quelques informations. Je compte beaucoup sur cette piste, que je vous suis reconnaissante d'ouvrir pour moi.

Votre père était un très bel homme, et je comprends que vous aimiez ce portrait : on dirait celui d'un acteur de cinéma ! À l'occasion, et si c'était possible, j'aimerais beaucoup voir d'autres échantillons de son travail. Mon intérêt, je vous l'avoue, est personnel, mais aussi professionnel : il se trouve que je travaille au musée d'Histoire de la Carte postale, où je suis l'archiviste en charge des documents iconographiques antérieurs à 1930. Je reçois donc régulièrement des fonds, parfois issus de particuliers (il n'est pas rare que l'archive nous arrive dans une boîte à chaussures), que j'indexe. Ces moments de découverte, de plongée dans des vies inconnues sont la phase la plus exaltante de mon métier et, à la longue, ils sont devenus une espèce de drogue. Il est toujours émouvant de se dire qu'à partir de deux ou trois sources ténues on pourrait quasiment reconstituer une vie.

Mais je m'aperçois que je m'éloigne de ce qui nous occupe. Même si mon russe est rudimentaire, du moins puis-je vous traduire ce qui est inscrit au bas de la photo : « Pour mon renard » (ou « ma renarde »). La personne qui l'a écrit n'était pas slavisante, on le voit à sa manière de former les lettres, comme si elle avait recopié un modèle qu'elle aurait eu sous les yeux. La densité de l'encre n'a pas l'air exactement la même que celle de l'inscription en français, un peu plus foncée, mais il est difficile d'en juger à partir d'une photocopie. En revanche, il me semble que le tracé des lettres des deux alphabets est de la même main. Peut-être la mention en russe a-t-elle simplement été ajoutée ultérieurement ? Il faudrait l'expertise d'un graphologue pour confirmer sa provenance.

Votre père parlait-il russe, ou avait-il des amis russes ? Connaissez-vous quelqu'un à qui il avait donné ce surnom ?

De mon côté, je poursuis mes recherches, mais je n'avance pas beaucoup. Retardée par quelques travaux urgents à finir – je prépare un catalogue sur les cartes postales de l'Exposition universelle de 1900 – je n'ai pu retourner à l'appartement pour continuer le tri des papiers de mes parents.

Naturellement, je vous tiens au courant si je découvre quoi que ce soit dans cet intervalle.

Bien à vous.

Hélène Hivert

P.S. : L'affiche m'a fait un petit pincement au cœur car *Véronique* était l'opérette favorite de la seconde femme de mon père, qui m'en chantait des airs quand nous faisions la cuisine toutes les deux.

Ashford, le 30 mai 2007

Chère Madame,

Je suis intrigué par cette inscription en russe que vous avez bien voulu traduire. Intrigué et même dérangé, car j'imagine mal mon père donner à ma mère ce petit surnom. Je me demande s'il n'a pas réalisé ce portrait, qui est de toute évidence un cadeau, pour quelqu'un d'autre. Et bien sûr je me demande aussi qui était ce quelqu'un d'autre. Votre lettre ravive un malaise et des soupçons anciens, à vrai dire ; depuis longtemps je me pose des questions sur ce qu'a été la vie de mes parents.

Pour en revenir à notre sujet, à ma connaissance, mon père n'avait pas d'amis russes, mais je sais que Jean Pamiat parlait couramment la langue (où l'avait-il apprise ?) et était lié à plusieurs familles pétersbourgeoises. Il appelait mon père « tavarich » (orthographe incertaine), en guise de plaisanterie, et j'ai d'ailleurs mis longtemps à comprendre que ce n'était pas un prénom, comme Igor ou Sacha.

J'ai aussi accompagné mon père une fois, vers la fin de sa vie, dans le carré orthodoxe du cimetière de Thiais. Il était déjà très affaibli, mais il avait beaucoup insisté pour que je l'y conduise. J'ignore sur quelle tombe il s'est recueilli, car il m'avait demandé de l'attendre un peu plus loin. Je ne sais rien de plus sur les raisons de ce pèlerinage.

L'indice est mince, mais il nous confirme que des liens ont pu exister. Nous voici donc lancés sur la piste russe...

Tenons-nous au courant.

Bien amicalement.

Stéphane C.

Paris, le 6 juin 2007

Cher Monsieur,

Je suis désolée si ce que je vous apprends vous met mal à l'aise. Si vous préférez, nous pouvons arrêter notre enquête ici. Mais je ne vous cache pas que cela me coûterait, car, maintenant que j'ai pris la décision de savoir, je voudrais aller jusqu'au bout. J'ai vécu mon enfance et ma vie d'adulte au milieu de beaucoup de silences, en refusant d'admettre leurs conséquences, mais le temps passe et ces questions sans réponses creusent en moi un vide de plus en plus pénible. J'aimerais connaître mieux la vie de ma mère, dont je ne sais quasiment rien. D'un autre côté, je sais à quel point il est risqué de fouiller dans le passé. De quels secrets a-t-on voulu nous protéger, et au prix de quels mensonges ?

Il est encore temps d'arrêter notre démarche ; je peux en tout cas essayer de continuer seule si vous nourrissez des appréhensions quant à son résultat. Dites-moi ce que vous en pensez.

Bien à vous.

Hélène H.

Miami, 15 juin (courriel)

Chère Madame,

Pour une fois, j'utiliserai le courrier électronique pour vous répondre. J'aime beaucoup recevoir des lettres et vous en écrire (le charme suranné de la correspondance), mais je suis actuellement en déplacement en Floride, et je ne voudrais pas différer la réponse plus longtemps.

Je crains que mon dernier courrier n'ait créé un malentendu en vous laissant croire que je regrettais notre enquête. Comme je vous le disais au début de nos échanges, une des raisons qui m'ont poussé à vous écrire est que mon père reste, pour mon frère et moi, en grande partie une énigme. C'était un homme assez distant, solitaire et silencieux. Avoir une conversation avec lui était quasiment impossible. Enfants, nous l'agacions beaucoup avec nos cris et nos jeux, et il n'était pas rare qu'il quitte la table en plein milieu du repas. Il rentrait des heures après, sans que nous sachions jamais où il était allé. Pourtant, j'ai des souvenirs de lui, remontant à une époque plus ancienne, où il était plus joyeux : je me rappelle en particulier le jour où il m'a appris à faire du vélo, à lire l'heure, sur un gros réveil bleu pâle, acheté exprès pour l'occasion (quelque atavisme suisse, sans doute !). Il avait commencé à m'enseigner le tennis, et je me souviens d'après-midi ensoleillées passées à la terrasse du club avec Jean Pamiat. Ce dernier venait parfois avec un ami à lui, Friedrich, dont les lunettes de soleil et le blouson de cuir me faisaient rêver.

Je ne sais pas exactement de quand a daté le changement dans la façon d'être de mon père, qui était lié, pensais-je, à une mésentente conjugale. Ma mère, Anna Krüger, était la fille d'une famille bourgeoise de Lausanne, une dynastie de banquiers et de courtiers en assurance, et je sais que ses parents avaient fortement désapprouvé le mariage avec mon père. Ils avaient dû céder, apparemment, devant la détermination de leur fille. J'ai même entendu dans quelques repas de famille mon grand-père paternel surnommer Pierre « le Bohémien », chose qui nous intriguait beaucoup, Philippe et moi : nous ne comprenions pas ce que notre père avait à voir avec ces gens, vus dans les films, qui vivaient dans des roulottes et jouaient du violon dans les rues !

De son côté, ma grand-mère Crüsten, une femme débrouillarde qui avait repris l'imprimerie après la mort de son mari, n'était pas tendre avec sa bru : elle se moquait des Suisses, dont elle disait toujours qu'ils avaient avalé un coucou. Je crois que ses petits sarcasmes cachaient un grief plus sérieux : ma mère revendiquait son statut de femme au foyer, et même en tirait fierté. Elle a toujours refusé de travailler, y compris dans les premières années, quand le studio ne rapportait guère. Pour ma grand-mère, qui avait résisté, milité, et qui tenait une entreprise à bout de bras, cette dépendance avait quelque chose de dérangeant.

Durant nos séjours d'été à Besançon, elle nous réveillait à sept heures tous les jours et nous faisait accomplir toutes sortes de corvées à l'imprimerie, en claironnant : « La petite bourgeoisie, au travail ! » Mais nous l'aimions beaucoup. C'était une femme adorable, courageuse et drôle ; elle avait pris beaucoup de risques pendant la guerre en imprimant de faux papiers pour des familles de la région. Elle aimait raconter qu'elle avait fabriqué une fausse carte de ravitaillement pour un voisin, un Polonais qu'elle détestait parce qu'il battait ses chats (« mais, bon, on n'allait pas le laisser crever de faim, ce citoyen »). Mais qu'elle s'était vengée en imprimant *Salhod* en guise de patronyme.

Pardonnez-moi, je m'aperçois que je digresse, mais cela me fait plaisir d'évoquer la mémoire de cette femme à laquelle j'étais très attaché. Nous lui avons moins souvent rendu visite dans les dernières années de sa vie – une mésentente avec mon père, je crois – et je le regrette.

Pour en revenir à ma mère, c'était une personne douce, mais ferme sur ses principes, qui a voué toute sa vie à son mari et à l'éducation de ses enfants. À un moment donné, je ne sais pourquoi, la famille a connu des scènes, assez violentes. Elles étaient suivies de jours, voire de semaines entières où mes parents ne s'adressaient plus la parole. Ils se disputaient le soir, quand nous étions couchés : ils devaient penser que les cloisons étoufferaient les bruits. Je ne comprenais pas la teneur de leurs discussions, mais j'étais toujours étonné d'entendre ma mère, un modèle de placidité et de tempérance, hausser le ton. Philippe, lui, pleurait et venait se réfugier dans mon lit.

Mon père a pris l'habitude de passer la nuit dans son studio. Il y avait installé un divan, un minuscule cabinet de toilette et un réchaud à gaz. À la fin, il ne dormait plus que rarement à la maison ; il n'y est revenu que lorsque ma mère a commencé sa chimiothérapie. Mais à ma connaissance, il n'avait aucune liaison ; en tout cas je n'ai rien vu ni su qui me l'ait jamais laissé à penser. Au contraire, il s'est enfoncé dans une solitude et un mutisme de plus en plus radicaux. Il ne communiquait que par des monosyllabes ou des instructions brèves. Sans ses assistants, qui faisaient les intermédiaires avec la clientèle, je crois qu'il aurait été obligé de mettre la clé sous la porte. Après la crise conjugale, qui a eu lieu l'année où Philippe a eu son accident de vélo, donc en 73, si je me rappelle bien, les rapports de mes parents sont devenus distants, et le sont restés. Mon frère et moi sommes certains qu'il s'est passé un ou plusieurs événements graves que l'on nous a cachés, mais nous n'avons jamais osé poser de questions.

Ma mère passait beaucoup de temps à l'église luthérienne lorsque nous étions à l'école. Elle y avait trouvé une forme de réconfort, je crois, et avait ses bonnes œuvres. Mon père était souvent absent. Une fois ou deux, il m'a emmené dans ses expéditions photographiques, mais j'étais trop petit pour l'assister correctement, pas assez rapide dans le maniement du matériel. Nous n'avons pas renouvelé l'expérience.

Le résultat est que nous n'avons guère été une famille unie. Mes parents ne prenaient pas leurs repas ensemble, sauf les jours où nous recevions. Et j'ai le souvenir de journées entières passées dans un silence de plomb. Philippe et moi chuchotions parfois du matin au soir de peur de déranger cette atmosphère, qui était sinistre au possible. À dire vrai, mes parents étaient si malheureux ensemble que je ne comprends pas très bien pourquoi ils n'ont pas divorcé. Certes, ma mère n'avait pas de ressources, mais ses parents, les Krüger, étaient bien assez riches pour subvenir à ses besoins. D'un autre côté, dans les années 70, la hantise du divorce dans les milieux bourgeois poussait encore à bien des mauvais arrangements.

Vous me dites avoir pendant un temps refusé de reconnaître le poids de ces silences familiaux. J'ai moi aussi, pendant longtemps, défendu cette position devant mon frère, qui a beaucoup souffert de la situation, lui disant – me disant surtout – que revenir sur le passé ne le changerait pas et qu'il fallait tourner la page. Je serais moins catégorique aujourd'hui. Vous et moi ne nous connaissons guère, mais suffisamment, vu ce qui nous a mis en contact, pour que je puisse vous confier ceci : je ne me suis pas marié et je n'ai pas d'enfant. Cette décision, volontaire, a beaucoup à voir avec le spectacle de mes parents malheureux, que je n'ai pas souhaité reproduire.

Je dépasse aujourd'hui l'âge qu'avait mon père à l'époque de ces faits. J'aimerais comprendre la nature des événements qui l'ont éloigné de nous. Ce vide intérieur, que vous décrivez avec des mots si justes, je le ressens, moi aussi. Et, avec l'âge, il devient de plus en plus difficile à supporter. En réalité, je ne sais pas qui est l'homme dont je suis le fils.

J'espère que vous voudrez bien pardonner la longueur de ce message, ainsi que ces confidences familiales, qui vous sembleront peut-être incongrues, alors que nous ne nous sommes jamais vus. Cela fait des années que je n'avais plus évoqué le sujet avec quiconque, et je crains de m'être laissé aller. Disons que les enjeux de cette enquête sont au moins aussi importants pour moi que pour vous ; voyez dans ces mots la preuve de mon envie, égale à la vôtre, de retrouver la part manquante de mon histoire.

Il fera nuit à Paris quand vous recevrez ce message.

Avec mes amicales salutations.

Stéphane

Paris, 16 juin (courriel)

Cher Stéphane, merci pour cette confiance, qui me touche. Alors on continue. Lettre suivra. À très bientôt, amitiés.

Hélène

Miami, le 18 juin 2007 (carte postale)

Chère Hélène,

Un petit signe amical de Floride, où les plages sont aussi belles que sur la photographie, même si le congrès ne me laisse pas tellement le temps d'en profiter.
À bientôt.

Stéphane C.

3

La photo d'identité, à laquelle les ciseaux ont imposé une découpe légèrement asymétrique, est fixée au carton rose du document par deux rivets de cuivre, disposés respectivement dans les coins inférieur gauche et supérieur droit. Le sujet qui y figure y arbore une expression peu amène, presque renfrognée. Les cheveux sont mi-longs, leur volume est endigué tant bien que mal au niveau des tempes à l'aide de deux barrettes métalliques, dont le flash a capté l'éclat. Les yeux sombres paraissent écarquillés, surpris par la lumière ; les sourcils, eux, sont froncés, et la bouche aux lèvres charnues a les commissures tombantes. Mais le menton est adouci par l'indulgence d'une fossette, qui clôt l'ovale résolu du visage. Le front, lui, est légèrement bombé, sans doute déformé par la prise de vue. La pâleur de la peau contraste avec le fond grisâtre de l'image, cependant qu'un chemisier clair à rayures foncées ajoute une note géométrique à la composition d'ensemble, et laisse entrevoir pour partie un cou long et blanc auquel est attachée une chaînette.

Le document a été délivré par la préfecture de police de Paris, le 14 mars 1963, par un certain Félix Thoiry, pour le préfet. L'autorisation concerne les véhicules automobiles de catégorie B. La signature au bas du rectangle, tracée d'une encre grasse et ferme, est un monogramme carré entrelaçant les deux initiales N et Z.

Il est écrit au-dessus de la photographie que la titulaire de ce permis de conduire s'appelle Zabvine, Natalia Olegovna, qu'elle est née le 1er décembre 1941 à Archangelsk (URSS), et qu'elle demeure au 142, rue de la Mouzaïa, à Paris (XIXe arrdt).

Paris, le 25 juin 2007

Cher Stéphane,

J'espère que vous êtes bien rentré de Floride et que, finalement, vous aurez trouvé quelques minutes pour profiter du soleil.

Excusez le retard de la lettre promise : le bouclage du catalogue sur l'Exposition universelle a été un véritable marathon, et j'ai manqué de temps pour continuer nos recherches.

Je tenais à vous remercier très sincèrement pour votre long message, qui m'a beaucoup touchée ; vous ne pouvez pas imaginer à quel point ce que vous me racontez de votre famille détruite résonne en moi, même si la nature de nos situations respectives est tout à fait différente. Oui, il est insupportable de ne pas savoir ; ce silence familial est un poison qui contamine tout ce qu'il touche, nos rêves, nos peurs, nos vies d'adulte. Et il finit par nous replier autour de nos questions trente ou quarante ans après (je ne pense pas vous avoir dit mon âge : j'ai trente-huit ans).

Je n'ai pu retourner que le week-end dernier dans l'appartement de mes parents, et j'ai continué le tri des papiers. Cette fois, j'ai décidé de tout examiner, méthodiquement, en ouvrant un dossier, une chemise après l'autre. Vu la quantité d'archives et le peu de temps que me laisse mon travail, j'en ai pour des semaines, mais je suis à peu près certaine que la solution est là, et je ne laisserai pas passer le moindre indice. Je me sentais très mal à l'aise, cependant, de fouiller de la sorte dans les affaires de mes parents, comme si je perquisitionnais dans leur vie. Et triste aussi, car le bureau me rappelle mon père, qui me manque. Je sens encore l'odeur de son tabac et celle du vieux cuir de son fauteuil favori, dans lequel je m'assois parfois pour lire quand je suis de passage là-bas.

À cinq heures, je pensais avoir fait chou blanc et je m'apprêtais à m'arrêter. En voulant rectifier l'alignement d'une rangée de livres reliés sur une des étagères du haut (une de mes petites manies), j'ai rencontré une légère résistance. J'ai pris l'escabeau, sorti les volumes, et découvert un cahier qui était tombé derrière les livres. Il s'agit d'un carnet de bord tenu par mon père – qui a été médecin militaire – consignant les détails de quelques-unes de ses missions au large de la Nouvelle-Calédonie et des Antilles, entre 68 et 74. Rien de très intéressant : ce sont essentiellement des reports de météo, les menus du jour, des itinéraires, accompagnés de croquis de végétation et de cartes maritimes. Mais, sous le rabat de la couverture, j'ai trouvé un document auquel je ne m'attendais pas : le permis de conduire de ma mère. C'est ainsi que j'ai appris que son nom de jeune fille était Natalia Olegovna Zabvine, et qu'elle était née le 4 janvier 1941 à « Archanguelsk » (le fonctionnaire a dû faire une faute de copie). Il y avait aussi une adresse, à Paris, rue de la Mouzaïa.

J'étais évidemment stupéfaite. Ainsi ma mère était russe et a habité Paris quand elle était jeune. Évidemment, j'ignorais tout cela, puisque c'est le nom de Sylvia, ma mère adoptive, qui figure sur mon extrait de naissance. Je ne comprends pas pourquoi l'on m'a caché mes origines, ni la raison de tous ces mensonges. Je vous avoue que je suis pour le moins ébranlée par cette découverte.

L'ironie du sort veut que ces informations arrivent jusqu'à moi par le truchement d'un permis de conduire, moi qui n'ai jamais réussi à l'obtenir, en dépit de quatre tentatives, dont une très célèbre dans mon auto-école (je me suis évanouie et j'ai failli tous nous flanquer dans le décor).

Vous me parliez de votre malaise avec l'histoire de votre famille. De mon côté, depuis toujours, je me sens remplie d'angoisses. J'ai en tête des images de catastrophe et d'effondrement que je n'arrive pas à m'expliquer. Il est très rare que ce sentiment ait lâché prise, même dans les périodes supposées être les plus heureuses de ma vie. C'est sans doute pourquoi il m'a été difficile de construire quoi que ce soit ; je n'ai pas voulu d'enfant non plus, pour les mêmes raisons que vous, je crois.

Rien de tout cela, en soi, n'est dramatique. Mais ce fardeau familier, invisible, se fait de plus en plus pénible au fil des ans. Je suis depuis longtemps asthmatique, ce que j'ai tendance aujourd'hui à mettre sur le compte du silence qui m'étouffe. L'explication psychosomatique est commode, mais elle a surtout le mérite de donner une forme à cette viduité douloureuse de la mémoire. En tout cas, chaque crise me conforte dans l'idée que personne ne devrait jamais hériter de telles situations.

Je vais me rendre à cette ancienne adresse, qui se trouve près des Buttes-Chaumont. Mais, pour l'instant, je crois que j'ai besoin de quelques jours pour prendre du recul et réfléchir.

Bien amicalement.

Hélène

Ashford, 28 juin (courriel)

Ma chère Hélène,

Je ne peux pas éprouver les choses à votre place mais j'imagine à quel point vous devez vous sentir bouleversée. Quand vous me disiez connaître peu d'éléments de la vie de votre mère, je ne pensais pas que vous ignoriez jusqu'à sa nationalité ou sa date de naissance. Je ne sais pas quelles étaient les motivations de vos parents pour vous avoir caché tout cela, mais, avec le recul du temps, cette dissimulation paraît bien cruelle.

Cette fois, c'est moi qui redoute d'être indiscret, mais que vous a-t-on dit au juste de votre mère, et dans quelles circonstances a-t-elle disparu ? Avez-vous d'autres documents que ce permis de conduire ?

J'aimerais hâter ma visite à Genève pour explorer les albums, mais je suis bloqué dans mon laboratoire par une expérience qui va me demander au moins un mois et demi d'observations quotidiennes (pas de vacances pour la science...) Pensez-vous que vous pourrez patienter jusqu'en août ?

En attendant, je me permets de vous donner mon numéro de téléphone ici, en Angleterre. Il est au bas du message, dans la signature. Si vous avez envie de parler de tout cela de vive voix, n'hésitez pas.

Amitiés.

Stéphane

Paris, 1er juillet (courriel)

Cher Stéphane,

Ce petit mot pour vous remercier de votre proposition et de ces paroles réconfortantes. Pour l'instant, je préfère réfléchir à cette découverte au calme, mais je vous appellerai bientôt. Cela me fera plaisir d'entendre votre voix.
Amicalement.

Hélène

Ashford, 8 juillet (courriel)

Chère Hélène,

Merci pour votre coup de fil de l'autre soir.
Il était bien agréable de pouvoir se parler enfin
« pour de vrai ». Cela dit, j'aime beaucoup écrire
des lettres et en recevoir, et il m'arrive parfois
de guetter le facteur. J'espère donc qu'en plus
de nous parler nous continuerons à corres-
pondre.
Amitiés.

Stéphane

Paris, le 11 juillet 2007

Cher Stéphane,

Ma petite crise existentielle étant passée, je reprends le fil de notre correspondance. Au fait, je ne vous ai pas posé la question l'autre jour : quelle est cette expérience qui vous retient en Angleterre ?

Vous me demandez ce que je sais sur ma mère. La réponse est simple : rien. Je vais vous faire un aveu. Quand j'ai trouvé la coupure de journal dans le dossier, et surtout quand j'ai lu la légende, j'en ai eu le souffle coupé, au sens propre, car c'était la première fois que je *voyais* le visage de ma mère. Et encore ai-je *déduit* que c'était elle, grâce au nom inscrit au bas de la photographie, sans quoi j'aurais été incapable de l'identifier. Bien sûr, j'ai dû le voir des centaines de fois lorsque j'étais enfant, ce visage, mais cette mémoire-là s'est effacée. Par la suite, jamais on ne m'a montré de photographies de Nathalie (c'est ainsi que mon père l'a nommée, les deux ou trois fois où il l'a évoquée), bien que j'en aie souvent réclamé. Mon père et Sylvia me disaient qu'ils avaient perdu l'album dans un déménagement (!). Quand je leur demandais à quoi ressemblait ma mère, lui me répondait qu'elle était belle, et changeait de sujet. Et même devenue adolescente, je n'ai pas trouvé bizarre que *personne* n'ait conservé le moindre portrait, le moindre cliché d'identité.

Pendant toute mon enfance, je n'ai pas su de quoi ma mère était morte. Vers l'âge de huit ou neuf ans, je me rappelle avoir pendant quelques mois harcelé les adultes pour qu'on me le dise. Un jour où je posais la question à table, de cette façon sans doute insupportable et répétitive propre aux enfants (« Mais de quoi elle est morte, Nathalie ? »), mon père, muet, s'est levé et m'a giflée, deux fois, posément : « Ça suffit comme ça. » Et il est retourné manger son omelette. C'est la seule fois de sa vie où il a levé la main sur moi, et j'étais tellement stupéfaite que je n'ai même pas pleuré. Après cet incident, je ne lui en ai, évidemment, plus jamais reparlé.

Plus tard, à l'adolescence, j'ai interrogé Sylvia, qui n'a pas voulu m'en dire davantage. Elle avait une manière de détourner le regard, d'éluder, qui indiquait d'entrée de jeu qu'elle ne répondrait pas. Quand je lui ai demandé où était inhumée ma mère, elle m'a expliqué, après bien des réticences, qu'elle avait été incinérée et que ses cendres avaient été dispersées en mer, au large de la Bretagne.

C'est une de mes tantes, Madeleine, qui a « lâché le morceau » lors du repas d'anniversaire de mes dix-huit ans. Après le repas (elle avait un peu trop bu), elle est venue fumer une cigarette dans la cuisine où j'étais en train de faire le café. Elle m'a demandé quel cadeau me ferait plaisir pour ma majorité. Je lui ai répondu : dis-moi comment ma mère est morte. Je me rappelle très bien cet instant, le silence installé au milieu du bruit, avec d'un côté le glou-glou chaotique de la cafetière et, de l'autre, l'expiration des bouffées odorantes et régulières. Je n'osais pas me retourner. Puis j'ai entendu la voix de ma tante, qui avait un drôle de timbre. « Ta mère est morte dans un accident de voiture. Elle a fait un tonneau dans un ravin, un jour de mauvais temps. » À ce moment-là, mon père est entré dans la cuisine, comme s'il avait flairé le danger, et nous a regardées alternativement d'un œil soupçonneux. Ma tante n'a rien dit de plus et elle est retournée dans le jardin. Quand je lui ai reposé la question, à la première occasion où je l'ai revue, son visage s'est fermé et elle m'a dit qu'elle avait eu tort de me parler, que je devais oublier tout ça et regarder l'avenir. Mais oublier quoi ? Comment oublier ce que l'on n'a jamais su ?

J'avais neuf ans quand mon père s'est remarié avec Sylvia. Nous la voyions presque toutes les semaines depuis plusieurs années. Mon père ne m'a jamais dit comment il l'avait rencontrée, mais je me rappelle qu'elle a passé des vacances avec nous avant d'emménager à Paris dans notre appartement de la rue de l'Observatoire. Elle a toujours été adorable avec moi, très douce ; je lui ai vite demandé si je pouvais l'appeler « Maman », car je l'aimais beaucoup. C'était une femme distinguée, cultivée, qui avait une allure folle, qu'elle a gardée en vieillissant. Un goût infaillible, un phrasé d'académicienne. Mais aucune distance : dans la vie, elle était chaleureuse, sociable, et adorait recevoir. Elle a travaillé toute sa vie comme bibliothécaire, puis comme conservatrice en chef au département des Manuscrits de la Bibliothèque nationale. Bien que ce fût interdit par le règlement, j'ai le souvenir d'être entrée avec elle, toute petite, dans la salle Labrouste, où je croyais que les livres étaient peints sur les murs, tant je trouvais incroyable d'en voir autant à la fois.

La vie chez nous a été bien plus gaie après son arrivée. Mon père avait déménagé souvent : je possède encore des photos prises dans une ville que je ne saurais identifier, d'autres en Polynésie, où je suis restée quelques mois. Sur l'une d'elles, je suis sur les genoux d'une grosse dame métisse aux cheveux frisés, ma nounou, sans doute. J'ai oublié les gens et les maisons, mais je me rappelle très bien que, petite, je passais des heures d'angoisse à me demander, quand j'étais à l'école, si j'allais retrouver mes jouets et mon chat en peluche en rentrant. Il paraît que je faisais des cauchemars toutes les nuits.

À Paris, Sylvia s'est occupée de moi comme si j'étais sa fille : elle venait me chercher, me faisait des câlins, me préparait des goûters, me racontait des histoires le soir. Moi, j'étais ravie d'avoir enfin une mère. D'abord, j'avais oublié la mienne – encore aujourd'hui, aucun souvenir ne me vient quand j'y pense –, et surtout j'en avais assez des déménagements, des remarques à l'école, des regards apitoyés. Je crois même qu'à un moment je ne parlais plus, en tout cas je revois mon père se fâcher pour essayer de m'extorquer un mot.

Sylvia et mon père ont essayé d'avoir des enfants. Très pédagogues, façon années 80, ils m'avaient fait asseoir une après-midi dans la cuisine pour me demander si ça me « ferait plaisir » d'avoir un petit frère ou une petite sœur ; c'est drôle quand j'y repense. D'autant plus que j'aurais adoré ça. Mais je crois qu'il y a eu une fausse couche, et ils n'ont que très peu insisté. Sylvia, qui m'avait légalement adoptée un an après leur mariage, avait de toute façon déjà reporté son affection sur moi. Je dois beaucoup à cette femme, jusqu'au choix d'un métier qu'elle m'a appris à aimer. Elle a rendu mon père heureux, pour autant que l'on pouvait y parvenir, car il n'était pas d'un abord facile. Ils ont vieilli ensemble, plutôt bien, et c'est après sa disparition à lui, il y a trois ans, que sa maladie a été diagnostiquée.

Je vais la voir trois fois par semaine depuis qu'elle est entrée en maison de retraite, mais elle m'a oubliée. Par moments, elle parle sans arrêt, avec un débit rapide et mécanique, un peu comme un poste de radio, puis elle se tait pendant plusieurs jours. Elle ne peut plus ni s'habiller, ni manger, ni marcher seule. Comme en plus elle souffre d'emphysème, les médecins pensent qu'elle n'en a plus pour très longtemps. Jusqu'à présent, je ne donnais pas beaucoup de sens à ce détail, mais j'ai été frappée, à plusieurs reprises, depuis un mois ou deux, d'entendre surnager des fragments de russe dans sa logorrhée. Pourtant, je ne l'ai jamais entendue prononcer un mot dans cette langue quand elle vivait avec nous. J'essayerai de faire plus attention, désormais, pour voir si je reconnais certains mots ou certains noms.

Comme il est ironique de penser, en attendant, que la suite de nos recherches dépend des souvenirs improbables d'un homme au cerveau en partie mort et d'une vieille dame à la mémoire dévastée. Curieuse allégorie de ce présent que nous ressuscitons de ses ruines de papier, une photo après l'autre.

Amitiés.

Hélène

Ashford, le 20 juillet 2007

Chère Hélène,

Oui, nous voici promus au rang d'archéologues familiaux, et cette situation n'est pas des plus confortables, même si l'on se prend au jeu, de temps en temps. Parfois, je me dis que si l'enquête ne donne rien, du moins j'aurai pu faire votre connaissance et partager avec vous quelques-uns de ces silences qui me pèsent tant, en temps ordinaire. Mais, à vous lire, je mesure que ceux que vous avez eus à affronter sont bien plus graves que les miens. Même si votre mère adoptive était aimante, il doit être difficile de grandir sans rien savoir de la personne qui vous a mis au monde.

Vous m'interrogez sur l'expérience qui me retient en Angleterre. Elle consiste à tenter d'isoler des marqueurs génétiques qui permettent d'identifier les liens existant entre certaines espèces d'arbres. Je suis spécialiste de l'ADN des arbres, en quelque sorte ! Ce qui fait beaucoup rire quand je raconte cela en société, où l'on m'appelle le Grissom du platane (je caricature à peine)... Mais vous n'imaginez pas à quel point l'histoire de la vie végétale est riche en enseignements sur le fonctionnement – et surtout les défauts de fonctionnement – de la vie humaine. Je fais de la recherche depuis plus de vingt-cinq ans sur le sujet, et j'ai l'impression de n'être qu'au début d'une exploration qui pourrait durer plusieurs vies. J'ai également, chez moi, un petit jardin d'agrément, d'où mon choix de résider hors de Londres. Je m'y amuse avec quelques spécimens rares. Inutile de vous dire que les résultats surprennent parfois un peu le voisinage.

Je pense aller à Genève aux alentours du 20 août. Ma proposition va peut-être vous paraître incongrue, mais je me demandais si vous souhaitiez m'accompagner et faire le tri avec moi dans les photographies. Qui mieux que vous pourrait reconnaître votre mère ou d'autres personnes de votre connaissance sur les clichés ? Et puis j'ai pensé que l'archiviste aurait plaisir à découvrir le travail de mon père, ses vues urbaines, notamment. Nous pourrions aussi en profiter pour passer au retour dire bonjour à Jean Pamiat : il sera sûrement content de vous voir, s'il a bien connu votre mère.

La maison est grande et dispose d'un appartement privatif pour les invités : aucun problème de ce côté-là, donc. Mais peut-être avez-vous d'autres projets de vacances, ou quelqu'un qui vous retient à Paris ? En tout cas, sentez-vous très à l'aise d'accepter ou de décliner l'offre.

À très bientôt de toute façon.

Amicalement,

Stéphane

Paris, le 26 juillet 2007

Cher Stéphane,

Merci pour cette proposition, que j'accepte sans hésiter. Sylvia n'a plus vraiment la conscience du temps, et je sais maintenant qu'elle souffre autant d'un intervalle de quarante-huit heures entre les visites que d'une absence de trois semaines. C'est terrible, mais il faut l'admettre. Le seul compagnon qui me retienne réellement à Paris pour le moment est mon chat, Bourbaki : je vais le confier à ma voisine, qui l'adore et le gâte de façon éhontée.

J'aurai de surcroît le plaisir de faire enfin votre connaissance « dans la vraie vie ». L'idée n'est plus très à la mode, mais je trouve toujours bien agréable de rencontrer en chair et en os ses correspondants, surtout lorsqu'ils deviennent des amis.

Je me suis rendue hier rue de la Mouzaïa, à l'adresse indiquée sur le permis de conduire. Il y a bien un numéro 142, et j'ai sonné, mais les volets étaient baissés et personne ne m'a répondu. Les propriétaires doivent être en vacances. Il faudra donc que je retente ma chance à la rentrée.

Je ressentais néanmoins une impression étrange en mettant mes pas dans ce qui avait dû être l'itinéraire quotidien de ma mère, et en tentant de regarder ce quartier – très joli au demeurant – avec ses yeux à elle, comme le décor ordinaire de sa vie. A-t-elle fait du vélo, joué au ballon sur le trottoir ? Guetté les visites par la fenêtre ? J'ai posé ma main sur le bouton de porte, me disant que la sienne avait dû le tourner des dizaines de fois, et qu'à tant d'années d'intervalle nous nous touchions, d'une certaine manière, à travers le temps. Je suis revenue mélancolique et troublée de cette expédition.

J'ai donc décidé de refaire une pause dans les investigations, qui se révèlent plus exigeantes que je ne le croyais au chapitre des émotions, et de partir quelques jours à Deauville (avec Bourbaki). Rappelons-nous à mon retour pour mettre au point les modalités pratiques du voyage à Genève. Je suis très impatiente d'examiner ces photographies avec vous.

Amitiés.

Hélène

4

La photographie est craquelée, et les bords en sont abîmés, comme si elle avait été maintes fois manipulée. Une large rayure, trace d'une pliure ancienne, forme une barre verticale au milieu de l'image. Celle-ci représente un groupe d'enfants et d'adolescents, d'âges divers, encadrés par trois adultes : un homme barbu en habit de pope et deux femmes de taille moyenne. En tout, on dénombre une quinzaine de personnes sur l'image et aucune d'entre elles ne sourit. À l'arrière-plan, on distingue, assez mal, un panneau de bois peint, qui ressemble à un paravent ; la présence, à gauche, d'une croix orthodoxe renseigne sur le fait qu'il s'agit d'une iconostase, et que la photo a été prise dans une église.

Les coiffures, la forme des lunettes et la coupe des vêtements suggèrent que le cliché date des années 50. Le léger débraillé des garçons les plus petits, les souliers poussiéreux, les jupes écossaises et les blouses de toile épaisse laissent deviner que tous les sujets ou presque appartiennent à un milieu populaire. Un peu sur la droite, une adolescente très blonde se détache du groupe, et par sa mise, et par son expression de princesse égarée chez les gueux. Elle porte ses cheveux lisses attachés en une natte épaisse, si impeccablement tirés sur les tempes que la lumière du flash se reflète sur eux. Elle est vêtue d'une robe claire et unie, très légèrement décolletée, qui s'arrête quelques centimètres au-dessous du genou. Elle porte des bottines et un foulard, ainsi qu'un petit sac qu'elle tient sagement sur son avant-bras. Son regard blasé, son air légèrement distant, comme une vedette lasse de se faire harceler par les paparazzi, sont probablement inspirés par la photo d'une actrice découpée sur une couverture de magazine.

À côté d'elle, une jeune femme qui doit avoir le même âge, une quinzaine d'années, grande, mince et un peu dégingandée, porte un imperméable d'homme trop large et des souliers à lanières. Ses cheveux épais, un peu crépus, sont attachés en arrière, mais plusieurs mèches se sont échappées et retombent sur l'avant de son visage. Les pommettes hautes, les yeux légèrement bridés lui donneraient un air asiate ou slave si des lunettes à monture papillon ne venaient imprimer leur géométrie occidentale à cette allure exotique. Elle tient les mains dans ses poches, ses chaussettes blanches ont glissé au bas de sa cheville, et son ossature anguleuse lui donne un air de garçon manqué. Debout à sa gauche, un homme jeune, petit, arbore un soupçon de moustache. Il a sans doute emprunté sa veste de costume et sa cravate au nœud trop large à son père. Il s'est gominé les cheveux, mais une petite boucle, charmante, retombe sur son front. Le fait qu'il bombe le torse le fait ressembler encore plus à un jeune premier, ou à Marcel Proust adolescent.

Au dos de la photo, on a écrit, en français, « Chorale de la paroisse Saint-Serge, La Mouzaïa, 1955 ».

Deauville, le 1er août 2007 (carte postale)

Cher Stéphane,

Une pensée amicale de Deauville, où la plage est encore plus sublime que sur la photo. J'espère que l'ADN de vos arbres va bien, et que vous aussi. Amitiés.

Hélène

Ashford, 7 août (courriel)

Chère Hélène,

Merci pour votre carte. Est-ce que Bourbaki s'est baigné ?

J'ai finalement arrêté mes plans pour le voyage : comme j'ai pu obtenir une place pas trop chère sur le Shuttle, je vais aller à Genève en voiture. Je pourrais donc passer vous prendre à Paris : il suffit que nous convenions du jour, de l'heure et de l'endroit. Si vous voulez, téléphonons-nous ce soir pour mettre le rendez-vous au point.

Amitiés.

Stéphane

P. S. : Un de mes platanes vient d'être innocenté par son empreinte génétique. Je cherche un autre coupable.

Paris, 9 août (courriel)

Cher Stéphane,

Profitant de mes congés, je suis retournée rue de l'Observatoire, avant notre départ, afin de poursuivre le tri, et j'ai fait une découverte que je vous scanne sans tarder. Mon père, qui était un érudit à l'ancienne, avait constitué une collection de dictionnaires spécialisés (notamment en botanique) et il a passé une bonne partie de sa retraite à les lire avec méthode, le crayon à la main. Sylvia, quand elle était encore à peu près lucide, m'avait demandé de les inventorier et d'en garder un ou deux en souvenir de lui.

J'ai donc commencé hier à dépoussiérer les volumes, espérant au passage trouver quelque rareté qui ferait votre bonheur. À la place, j'ai déniché un intrus, un vieux Makarov russe-français. Il était tellement usagé qu'il s'est presque disloqué entre mes mains lorsque je l'ai sorti de son rayonnage. C'est en voulant en rassembler les morceaux que j'ai remarqué un léger renflement, à l'intérieur des pages centrales, indiquant que quelque chose y était resté coincé. Je l'ai ouvert et j'ai trouvé une photo que j'ai d'abord prise pour une photo de classe, mais qui est en fait celle d'une chorale.

Les noms ne sont pas indiqués, et c'est bien dommage. Mais on dirait que la jeune femme qui a les mains dans les poches est ma mère. En beaucoup plus jeune, elle ressemble pas mal à la femme de la coupure de journal, même si la coupe de cheveux est différente. Quelque chose dans l'expression du visage aussi. Qu'en pensez-vous ? En revanche, je mettrais ma main à couper que la jeune fille blonde à l'air un peu pincé est ma mère adoptive, Sylvia. Je reconnais ses yeux, son regard, son maintien un peu rigide, comme celui des danseuses de ballet. Et je suis fort étonnée de la voir là. Parce que, lorsque à l'adolescence, je l'ai questionnée sur ma mère, elle m'a affirmé à plusieurs reprises ne jamais l'avoir rencontrée. Or cette photo doit dater de leurs quinze ans, ce qui signifierait qu'en réalité elles étaient amies d'enfance. L'étendue des mensonges dont on m'a gratifiée est donc plus vaste que ce que j'imaginais. Reste à voir ce qu'ils cachent.

Je doute que Sylvia puisse me dire grand-chose, car sa maladie a atteint un stade avancé. Elle ne sait plus qui je suis. Il paraît cependant que les gens souffrant d'Alzheimer gardent des souvenirs anciens assez précis : j'essayerai d'en parler avec elle, si elle est dans un jour où j'arrive à établir le contact – la plupart du temps, elle est refugiée dans son monde intérieur. À plusieurs reprises, ces mois derniers, elle m'a appelée « Natacha », et j'avais mis cela sur le compte d'une simple confusion de prénoms. Mais si c'est bien ma mère sur la photo, Sylvia me prend sans doute pour la jeune fille qu'elle voyait à la paroisse orthodoxe durant leur adolescence.

La légende indique le même nom de rue que la carte d'identité. On trouve bien dans ce quartier, si j'en crois internet, une église orthodoxe qui s'appelle Saint-Serge de Radonège. Je vais donc me dépêcher d'y faire un tour avant que nous ne partions et je vous raconterai le résultat de ma visite.

À très bientôt !

Hélène

Ashford, 14 août (courriel)

Chère Hélène,

J'ai regardé attentivement la photo que vous m'avez envoyée : j'ai bien l'impression, comme vous, que la jeune femme brune et celle de la coupure de journal sont la même personne.

De mon côté, j'ai aussi un indice : je crois que le jeune homme habillé en dandy est Jean Pamiat ; son visage me paraît familier. Je n'en suis pas certain, mais cela irait assez bien avec son allure et son style, et expliquerait peut-être comment nos parents se sont rencontrés. Si votre mère Nathalie et lui étaient des amis d'enfance et qu'ils ont gardé des liens ensuite, il l'aura certainement présentée à son meilleur ami, mon père, à une occasion ou une autre. Nous verrons Jean dans quelques jours. Comme je vous l'ai déjà dit, je crois, il est très diminué, son élocution est presque incompréhensible, et je ne sais s'il a gardé la faculté de se souvenir. Mais nous communiquons, un peu, par des interjections, des mouvements de main et de paupières, et si je passe mon doigt lentement sur un alphabet, il peut arriver à me « dicter » de petits messages en clignant des yeux. Nous lui parlerons de Natalia Zabvine ; peut-être que cela éveillera une réaction chez lui.

De mon côté, je suis dans les préparatifs du voyage, et je me laisse moi aussi gagner par l'impatience. J'aime bien mes arbres ; mais là, ils m'encombrent. Je devrais arriver à Paris le 24 au soir, et j'ai bien noté l'itinéraire pour rejoindre le lieu du rendez-vous. Pour fêter notre rencontre, je me suis permis de réserver une table à l'Épicerie russe, rue Daru : cela me semble de circonstance ! Même si les raisons qui nous poussent à jouer les Sherlock Holmes n'ont rien de très amusant, je dois vous avouer que je me prends au jeu de cette enquête, et que j'imagine plusieurs scénarios, événements, comme l'assemblage des pièces d'un puzzle. Je dois trop regarder la télévision.

À très bientôt.

Stéphane

19 août (message SMS)

Cher Stéphane,

Laissé cinq messages sur votre boîte vocale après votre départ, mais ne sais pas si vous les avez reçus entretemps. L'hôpital m'a appelée : Sylvia a contracté une nouvelle pneumonie et est au plus mal. Ne pourrai vous accompagner à Genève. Vous donne des nouvelles dès que possible. Hélène

19 août (message SMS)

Sincèrement désolé. Suis de tout cœur avec vous. Très amicales pensées. Stéphane

20 août (message SMS)

Sylvia état critique, pronostic inquiétant : dois rester à ses côtés. Soyez prudent sur la route. H.

20 août (message SMS)

Courage. Je pense fort à vous. Stéphane

5

La photo a été prise à l'extérieur, sous une tonnelle, à la fin d'un repas. Un repas dominical, ou de fête, si l'on en croit la vaisselle fine et la nappe blanche. Cinq convives sont réunis autour de la table ronde où ne reste, au milieu de quelques vestiges de repas (serviettes, sucrier, petites cuillers, verres de vin dont un à moitié plein), qu'un samovar en cuivre autour duquel sont disposés de petits bols à thé. Sur la gauche de l'image, on aperçoit une femme corpulente, vêtue d'une robe noire, dont le bas est en partie recouvert par une étoffe plus claire, un tablier sans doute. Le photographe a dû lui dire de tourner sa chaise et de se placer légèrement de trois quarts, de manière à ce que l'on puisse voir son visage. Elle a des cheveux noirs, striés de larges mèches blanches, coiffés en bandeaux lisses, des yeux en amande, des pommettes hautes, un peu colorées par le soleil, ou le vin. Les traits sont adoucis par son embonpoint, mais

83

l'architecture du visage reste ferme, ponctuée par un petit grain de beauté au-dessus de la lèvre supérieure droite. Ses mains sont sagement croisées sur le tablier. À ses pieds, un gros chat noir et blanc, étalé, inerte, les yeux clos, cherche la fraîcheur des dalles de pierre pour oublier le poids de sa fourrure.

À côté de la femme, une place vide, celle du photographe, suppose-t-on. Ensuite, on reconnaît Jean Pamiat, toujours élégant, vêtu d'un blazer et d'un canotier, et portant un nœud papillon avec sa chemise claire. Les pointes de la petite moustache ont été effilées et relevées à la cire, lui conférant cet air anachronique qu'il a sur presque toutes les photos. À sa gauche, Natalia Zabvine porte elle aussi un chapeau, à larges bords, dont l'ombre cache une partie de son front. Elle fixe l'objectif de son regard clair, de ses yeux dilatés de myope, esquissant une moue amusée. Ses mains sont posées sur la table. L'une, dont l'annulaire arbore un anneau en argent orné de fines stries, tient une cigarette non allumée entre ses doigts. L'autre est refermée sur un objet, sans doute un briquet. À côté de Natalia, un jeune garçon aux cheveux en brosse, vêtu d'un costume, l'air un peu gauche, porte une cravate à rayures. Il ne sourit pas et paraît intimidé par la prise de la photo, qui l'a saisi bouche entrouverte, d'où son air hébété.

Le dernier sujet, qui aurait dû se trouver à côté de ce jeune homme, de trois quarts dos, s'est déplacé pour figurer de face sur la photo, ce qui explique peut-être qu'on le retrouve debout derrière Natalia – il n'a, semble-t-il, pas souhaité s'asseoir à la place vide du photographe. Il est blond, rasé de frais, et a les cheveux presque tondus par une coupe réglementaire. Ses lunettes fumées sont relevées sur le haut de son crâne. Lui aussi tient une cigarette à la main, mais allumée ; on aperçoit une fine volute de fumée qui monte dans l'air. Son autre main, invisible, repose sans doute sur le dossier de la chaise de Natalia. L'homme est grand, vêtu d'un pantalon de ville au pli net, d'une chemisette claire, fermée par une cravate unie. La décontraction de l'allure, le hâle, les lunettes, le petit sourire adressé à l'objectif ne contredisent pas l'élégance du maintien.

Derrière eux, un mur, en partie recouvert de lierre, laisse voir une porte. Son linteau est orné de carreaux de céramique imitant un motif étrusque, noyés par endroits sous dix centimètres de végétation. La glycine qui fleurit sur la tonnelle s'est accrochée aux montants, et ses frondaisons denses suggèrent que la photo a été prise à la fin du printemps ou au début de l'été. Les convives, à l'exception du jeune homme à la droite de la photo, ont l'air satisfait et vague que donne souvent la réplétion, sans doute accentuée par le chaud soleil. Et au centre de l'image, Natalia et Pierre, réunis pour l'éternité par le hasard – d'une disposition, d'une main posée sur une chaise, d'un peu de gélatine et de sels d'argent –, ont l'air d'un couple d'éternels fiancés.

Genève, le 26 août 2007

Ma chère Hélène,

Je suis heureux de savoir que Sylvia va mieux et a repris conscience, même si le pronostic n'est pas très encourageant. J'espère ne pas vous avoir trop dérangée en appelant à la clinique hier soir. Je me faisais du souci pour vous.

Pour Genève, ne vous inquiétez pas. Disons que ce n'est que partie remise et que nous trouverons une autre occasion. Au besoin, nous la créerons.

Ici, les recherches se révèlent moins aisées que prévu. Mon père a laissé plus d'une centaine de cartons, chacun contenant plusieurs albums, mais ils ont été entassés un peu n'importe comment par les déménageurs qui ont vidé le studio. Résultat : bien que les albums soient tous datés, je n'ai toujours pas réussi à retrouver le fil, car les années ont été mélangées. Au début, j'ai ouvert un peu au hasard ce qui se présentait à moi. J'espérais une trouvaille miraculeuse, mais j'ai vite compris que cette fébrilité ne mènerait à rien. Je suis donc en train de reprendre, comme vous le faites de votre côté dans l'appartement de vos parents, les boîtes une par une, et je tente de les remettre dans l'ordre chronologique. La tâche est d'autant moins facile que ces cartons pèsent chacun une tonne : depuis quatre jours, le seul terrain sur lequel j'ai progressé est celui des courbatures !

Sinon, les retrouvailles avec Genève sont assez curieuses. Cette ville pâle et faussement endormie ne m'a pas laissé que de bons souvenirs. Revenir dans l'ancienne maison de mes parents en a réactivé d'autres, pas vraiment meilleurs. L'exil en Angleterre a sans doute été une manière de fuir à la fois l'endroit et le passé qui lui est attaché. Parfois, je pense que j'aurais pu habiter et vivre ici, et je me félicite d'avoir trouvé le courage d'en partir.

J'espère que vous allez bien de votre côté, malgré les soucis présents.

Bises.

Stéphane

P. S. : Eurêka ! Je rouvre la lettre car je viens de me faire mentir : dans un album de 1959 (des vues de Paris), que je feuilletais avant de me coucher, je viens de trouver une photo qui va sans doute beaucoup vous intéresser. J'irai la photocopier demain et je la glisserai dans l'enveloppe. J'en suis tout excité à vrai dire : cette fois, nous le tenons, le lien entre nos parents. Est-ce que ce jardinet ou cette cour vous disent quelque chose ?

Paris, 30 août (courriel)

Cher Stéphane,

Je viens de recevoir votre lettre de Suisse, et la photocopie de la photo. J'ai été envahie par l'émotion en la regardant, bouleversée, même : votre père et ma mère sont si jeunes, si beaux, si... assortis, il faut l'avouer, sur cette image. J'ai eu l'impression de voir un couple. Ce qui m'amène à formuler une hypothèse délicate, qui va peut-être vous choquer, mais que j'ai en tête depuis longtemps : pensez-vous que nos parents pourraient avoir été liés par le passé ? Liés par une relation amoureuse, j'entends ? Vous m'aviez dit que Jean Pamiat avait rencontré votre père au régiment : imaginons qu'il ait profité d'une permission pour emmener son ami à Paris déjeuner chez une camarade de la paroisse, et que Pierre soit tombé amoureux de Natalia. Ou alors que ce soit Jean qui ait été amoureux de Natalia, et que la photo soit le souvenir d'un déjeuner dominical avec un copain de régiment ?

Mais peut-être que je m'égare complètement et que je cherche à faire dire à ces images ce qu'elles ne contiennent pas. En tout cas, il est maintenant établi que nos parents se connaissaient depuis longtemps, bien avant Interlaken, et bien avant leurs mariages respectifs, aussi. En revanche, je ne sais pas où le cliché a pu être pris, je n'ai pas reconnu l'endroit.

L'autre chose qui m'a bouleversée, c'est l'identité des autres personnes réunies autour de cette table. En regardant de très près, j'ai l'impression que la femme corpulente qui est à gauche et Natalia se ressemblent : regardez la forme slave des pommettes, des yeux. Peut-être que, pour la première fois, j'ai vu le visage de ma grand-mère maternelle que je n'ai pas connue. Et là, j'ai fondu en larmes. Je suppose que le contexte présent y est pour quelque chose.

Je redoute, cher Stéphane, que toutes ces suppositions ne vous blessent, même s'il me semble que ni vous ni moi ne jugeons nos parents – nous n'avons pas à les juger, quoi qu'ils aient fait. Et j'aimerais en parler avec vous de vive voix. L'état de Sylvia semblant stabilisé pour le moment – jusqu'à quand ? – j'aurais une proposition à vous faire : quand vous repasserez à Paris, à votre retour de Genève, voulez-vous venir prendre un café ou dîner à la maison ? D'abord, ce serait l'occasion de faire cette rencontre tant différée, et aussi de confronter nos hypothèses.

Toutes mes amitiés.

Hélène

Genève, 30 août (courriel)

Chère Hélène,

Ma clé 3G ayant bien voulu remplir son office, j'ai trouvé votre message, auquel je m'empresse de répondre.

Je suis désolé que la photo vous ait chagrinée ; en même temps, comment ne pas l'être en découvrant l'existence d'une famille que vous n'avez jamais connue ?

Votre délicatesse vous honore, mais il ne faut pas vous inquiéter pour ma réaction face à des suppositions que je partage depuis le début. Comme vous, je pense qu'il s'est passé quelque chose entre nos parents : je suis certain qu'ils ont eu une liaison, et que c'était bien à Natalia, la « renarde », que mon père avait dédié ce portrait. Leur relation pourrait être à l'origine des disputes et de la crise de 73 entre mon père et ma mère. Nos familles nous auront caché les faits par peur du scandale, et étouffé l'affaire. Mais cela ne nous éclaire pas sur les circonstances de la mort de votre mère... En tout cas, peu de chances pour que la relation, s'il y a bien eu relation, ait concerné Natalia et Jean (que je verrai demain, sur le chemin du retour) : il a toujours préféré les garçons.

Vous retrouver à Paris ? Oui, et avec grand plaisir. Je n'osais vous le proposer, à dire vrai, de peur de vous importuner en pareille circonstance. J'ai de toute façon prévu d'y faire halte pour la nuit avant de reprendre la route pour Calais. Je devrais arriver vers dix-sept heures et je peux vous retrouver dans la soirée. Si vous m'indiquez un bon hôtel pas trop loin de chez vous et que vous n'avez rien de prévu, je me permettrais volontiers de vous inviter à dîner. En effet, j'ai décidé de rapporter une partie des albums chez moi pour les trier en Angleterre. Si nous avons le temps, nous pourrions en regarder quelques-uns ensemble.

Je suis joignable par mail jusqu'à vendredi matin.

Amicalement.

Stéphane

Paris, 30 août (courriel)

Cher Stéphane,

Je vous conseille Le Jardin secret, rue de Nancy, près de la gare de l'Est : correct, pas trop cher, et à deux pas de chez moi. Le plus simple serait que vous me rejoigniez après le travail, vers dix-neuf heures trente. Mes talents culinaires sont tout sauf éblouissants, mais du moins saurai-je vous nourrir. Et nous pourrons regarder les albums tranquillement. Mon code est 284A. N'hésitez pas à m'appeler s'il y a le moindre problème.

En attendant, bonne route et bonne visite à votre parrain.

Impatiemment.

Hélène

6

Elle est assise sur une chaise longue, sur une terrasse, qui laisse voir au loin, par les jours de sa balustrade de fer forgé, un triangle argenté, brillant, la mer. À ses pieds, elle a disposé divers objets : un livre ouvert, cassé sur le dos, un petit sac de toile, un tube d'huile solaire, un briquet laqué. Un parasol largement ouvert, planté dans un socle en plastique, la protège du soleil de l'après-midi : son inclinaison et la tension du tissu suggèrent qu'il y a du vent. Quelques mètres plus loin, deux enfants – une fille et un garçon – jouent sur les dalles avec ce qui semble être des brindilles. Derrière la chaise longue, à gauche, une petite table en fer forgé, peinte en blanc, supporte, sur un large plateau de bois, une cafetière en métal au ventre rebondi, six tasses de porcelaine, une carafe d'eau embuée, un paquet de Craven A – que l'on reconnaît bien que l'angle ait aplati la silhouette du chat noir – et un compotier rempli d'abricots. À côté de la table, une femme d'une quarantaine d'années, vêtue d'un pantalon et d'un chemisier, tient une cuiller à la main, signe que le goûter est sur le point d'être servi. Une autre femme est assise, corpulente, un peu à l'étroit dans sa robe d'été qui souligne les plis de sa chair débordante ; elle a chaussé des lunettes pour compter les rangs du tricot qu'elle tient devant elle, et sur lequel elle concentre son attention. Elle aussi s'abrite sous un parasol, plus large, à rayures.

La jeune femme allongée est vêtue de l'une de ces robes à large encolure rectangulaire, dont la coupe géométrique et le motif à losanges évoquent les années 70. Sous l'étoffe, l'ombre des bretelles du soutien-gorge, qui comprime une poitrine saillante. Le bras gauche, plus sombre que le reste du corps, montre que sa propriétaire a pris naguère un coup de soleil ; la main droite est au repos, posée sur le ventre. Du rectangle de coton léger, étalé sur les jambes pour les protéger, n'émergent que les chevilles, gonflées, glissées dans des chaussures à bride ouvertes qui ont barré le cou-de-pied d'une strie un peu plus foncée que la carnation. Les yeux sont mi-clos, comme si la jeune femme somnolait ; aux tempes, un peu de sueur colle les cheveux épais, dont un peigne en écaille, vaincu, est en train de se décrocher.

La photographie a emprisonné dans sa chimie la trace de l'éclat trop vif de la lumière d'été, qui tombe à la verticale et semble inonder toutes les surfaces claires qu'elle touche, robe, table, casquette du petit garçon. L'image a la saveur torpide et intense des après-midi estivales ; ce que confirme la légende au dos de la photo, en cyrillique : «Динар, август 1968 ». Il est par ailleurs difficile d'ignorer, en voyant Natalia Zabvine ainsi saisie de profil, qu'elle est enceinte d'au moins huit mois.

Paris, le 7 septembre 2007

Cher Stéphane,

J'espère que vous êtes bien rentré et que vos arbres ont été contents de vous revoir.

De mon côté, je suis ravie que nous ayons pu passer cette soirée ensemble. Je dois vous avouer que je savais à quoi vous ressembliez, physiquement j'entends, car j'étais allée voir votre photo sur le site internet de votre laboratoire. Mais vous êtes beaucoup mieux en vrai, cela va sans dire !

Nos lettres m'avaient donné l'impression de vous connaître, mais je n'aurais pas imaginé que nous étions à ce point proches et (ce qui est un peu triste, quand on y songe) tourmentés par les mêmes choses. Parfois, je me demande après quelle « vérité » nous courons au juste, tous les deux, et dans quel état sa découverte, si nous trouvons ce que nous cherchons, nous laissera.

En tout cas, la conversation autour d'un bon bordeaux – celui que vous aviez apporté était somptueux –, tandis que nous regardions ces photos, a été un moment très doux. Ce n'est pas souvent que j'ai l'occasion de parler de cette histoire à quelqu'un, et vous la confier, c'est aussi, de façon égoïste, me décharger de son poids. Vous ne pouvez imaginer à quel point ces heures ont été précieuses.

Si vous avez l'occasion de venir à Paris, sur le chemin de Genève, ou pour le travail, surtout faites-moi signe.

Après votre départ, j'ai repensé à ce que vous m'avez raconté au sujet de la réaction de Jean Pamiat, quand il a su que vous et moi étions en relation. Difficile à interpréter, compte tenu de ses difficultés d'élocution, mais ne croyez-vous pas qu'il a essayé de vous signifier quelque chose à propos de ma mère ?

Ici, la rentrée fait sentir ses effets (délétères...) : me voici en charge du catalogue de deux nouvelles expositions, l'une sur la crue de Paris, l'autre sur l'habitat ouvrier des années 1900, dont je serai la commissaire. La mission est passionnante, mais je ne sais trop comment nous allons pouvoir boucler cet ambitieux programme d'ici Noël.

Nous avons reçu et déjà déballé onze caisses d'archives que j'ai commencé à trier : toujours cette émotion, inévitable, quand on croise le regard d'outre-tombe de ceux qui ont été photographiés cent ans plus tôt. Souvent, ces cartes ont été écrites avec des formules qui nous paraissent aujourd'hui désuètes et charmantes : « un ami » ; « mes parents se joignent à moi pour vous faire leurs meilleurs compliments » ; « je vous remercie avec tout le respect dont je suis capable » (si, si, je vous assure !)

Je risque donc d'être un peu débordée – c'est le cas de le dire – dans les semaines qui viennent, mais je trouverai bien le temps d'aller faire un saut dans le XIXe, et de vous raconter le résultat.

En attendant, je vous envoie, comme la petite Geneviève, mes « meilleurs compliments ».

Amitiés.

Hélène

Ashford, 12 septembre 2007

Chère Hélène,

Merci pour votre lettre, qui n'est arrivée que ce matin, et pour ses timbres colorés, qui égayeront mon bureau. Je suis touché par ce que vous y dites de notre rencontre, car j'ai ressenti la même impression : celle de partager, enfin, le fardeau. J'ai l'impression de vous connaître depuis des années, et ces quelques heures à Paris ont été trop brèves à mon goût.

Mes arbres n'ont pas fait de commentaire à mon retour, ni agité leurs petites feuilles, mais je veux croire qu'ils sont contents. Nous démarrons fin septembre un nouveau programme, avec une éventuelle application pharmaceutique, et je risque moi aussi de me retrouver croulant sous le travail. Je dois repartir mi-octobre pour un cycle de séminaires et une mission sur le terrain en Finlande.

Pour toutes ces raisons, je n'ai pas tellement avancé dans le dépouillement des albums depuis mon retour. Pour l'instant, je suis tombé sur une série qui concerne la côte normande. Les photos sont splendides, mais je n'ai pas la moindre idée de ce que mon père est allé faire là-bas.

Donc, tel l'inspecteur qui suit Miss Marple pour recueillir le fruit de ses lumineuses découvertes, j'attends les résultats de votre visite dans le XIXe.

Et comme je ne suis pas aussi expert que la petite Geneviève en formules gracieuses, je m'arrêterai, si vous le voulez bien, à une bise amicale.

Stéphane

P. S. : le bordeaux était peut-être somptueux, mais le dîner n'était pas mal non plus. Après cela, essayez de me faire croire que vous êtes piètre cuisinière !

Paris, le 23 septembre 2007

Cher Stéphane,

Pardonnez le retard à vous répondre : d'abord il m'a fallu me remettre de la Terrible Fête d'anniversaire préparée par mes amis, qui ne m'ont pas ratée. Et puis, comme prévu, je n'ai plus une minute à moi avec ces deux expositions. Pour la crue, en particulier, on pourrait dire sans jeu de mots que nous sommes noyés sous l'archive, pas très loin du niveau du zouave du pont de l'Alma.

Entre le travail et les visites à Sylvia, qui est maintenant sous assistance respiratoire permanente, je n'ai plus tellement de temps à consacrer à nos recherches. Je n'ai pas encore pu continuer le tri rue de l'Observatoire. En revanche, je suis retournée rue de la Mouzaïa. Les propriétaires, un jeune couple très gentil, m'ont fait visiter les lieux, mais ils ignorent tout de ceux qui les ont habités avant eux. L'intérieur est banal, moderne, et n'a sans doute plus rien à voir avec celui que Natalia a connu. J'ai demandé à voir la cour : elle est petite, sans arbres, et ne ressemble pas à celle de la photo du repas. En revanche, l'endroit n'est pas très loin de l'église Saint-Serge, où j'irai dès que j'aurai à nouveau quelques heures devant moi.

Et vous, quelles nouvelles ?

Une petite bise.

Hélène

P. S. : À vaincre sans péril, on triomphe sans gloire : c'est Sylvia, un vrai cordon-bleu, qui m'a appris à cuisiner. La prochaine fois, si vous revenez, je vous ferai un parfait au chocolat.

Ashford, le 29 septembre 2007

Chère Hélène,

Vous m'aviez caché que c'était votre anniversaire ! Je souhaite de tout cœur que cette trente-neuvième année vous apporte beaucoup de joies. Des joies, et puis des réponses aussi.

Par ailleurs, si vous me promettez du gâteau au chocolat, non seulement je risque de revenir, mais en plus je vais réserver mon billet de train sur-le-champ !

Bon, j'aimerais bien, mais en réalité je m'envole demain pour Helsinki, et je ne voulais pas partir sans avoir posté cette lettre.

Quand vous y serez allée, racontez-moi votre visite à la paroisse Saint-Serge, dont le nom m'évoque toute la grandeur de la Russie impériale.

En attendant, je vous embrasse.

Stéphane

Paris, 12 octobre (courriel)

Cher Stéphane,

Comment allez-vous ? Comment se passent vos conférences ? Il me tarde d'avoir de vos nouvelles.

Des nouvelles, j'en ai quelques-unes pour nous, car je me suis rendue à Saint-Serge hier. Quelle aventure ! D'abord, il faut que je vous raconte le lieu, étonnant : une petite église, que j'ai mis longtemps à trouver, cachée au bout d'une rue en pente et d'un bosquet d'arbres. On y accède par un curieux escalier, en bois, fermé par des panneaux ajourés. Pas un centimètre carré qui ne soit peint, orné, décoré... On se demande par quel hasard cette merveille exotique a pu être érigée en plein milieu d'un arrondissement parisien. J'ai pu entrer dans l'église, théoriquement fermée, car quelques personnes s'étaient attardées à l'intérieur après une réunion, semble-t-il. J'ai ainsi vu l'iconostase, les icônes, dans cette salle au plafond étrangement bas, baignée d'une lumière sourde, veloutée, presque utérine. Je vous ai fait des photos de l'extérieur, pour que vous puissiez voir la merveille.

Une des dames du groupe, une quinquagé-
naire intriguée par ma présence, est venue me
demander si j'étais du quartier. Je lui ai expliqué
la raison de ma visite en lui montrant la photo de
la chorale : étrange effet d'abyme, d'ailleurs,
puisque le décor de l'image se dédoublait, grandeur nature, sur le mur du fond. Elle a examiné
l'image quelques secondes, l'a retournée : « Oui,
cette photographie a été prise ici, c'est certain. »
Mais elle n'a reconnu personne, ce qui n'est pas
très étonnant compte tenu de son âge. Elle a dû
lire la déception sur mon visage et m'a dit d'aller
voir de sa part une certaine Vera Vassilieva, qui
avait été très active dans les affaires de la paroisse
et habitait un peu plus loin, en haut de la rue de
Crimée.

J'y suis allée sans tarder, munie du nom de
mon interlocutrice et d'un petit mot qu'elle avait
rédigé au dos d'un prospectus. Quand j'ai sonné,
la porte s'est entrebâillée sur une chaînette de
sécurité. Madame Vassilieva, qui ressemblait à un
petit lutin fripé, s'est contentée de me faire signe
de me pencher vers elle – elle doit faire un mètre
quarante – et m'a longuement observée, pendant
que je débitais ma petite explication. Puis elle m'a
dit d'entrer.

Je lui aurais volontiers donné cent ans. Elle
n'en a, m'a-t-elle dit, que quatre-vingt-douze. Elle
parlait un français précieux et lacunaire qui

semblait avoir été appris sous l'époque impériale ; de mon côté, je baragouinais dans mon russe indigent. Malgré cela, nous avons à peu près réussi à nous comprendre. Après avoir fait du thé à grand-peine, dans un samovar au moins aussi vieux qu'elle, Vera m'a fait signe de m'asseoir sur un canapé de velours bleu défraîchi, et m'a regardée encore une fois d'un œil fixe, les yeux noyés sous les paupières. Sans réfléchir, je lui ai dit, en russe : « Je suis la fille de Natalia Zabvine ». Je mesurais toute la bizarrerie qu'il y avait à prononcer, pour la première fois de ma vie, cette phrase, dans cette langue, à cet endroit, comme si j'étais en train de me transformer en une autre que moi. Vera m'a répondu : « Je sais. » Puis, après un long silence, où j'entendais sa respiration asthmateuse : « Tu ressembles à ta mère. »

Ma gorge s'est serrée. Vous comprenez, Sylvia exceptée, c'était la première fois depuis le début de nos recherches que je parlais à quelqu'un ayant connu ma mère vivante. Natalia avait tout à coup cessé d'être une ombre grise, errant dans des zones opaques, pour redevenir un corps, une voix, une présence. J'ai montré la photo à Vera et elle a tapoté d'un doigt noueux l'un des visages : elle était l'une des trois adultes, la femme à côté du prêtre. Son récit a été laborieux et long, elle s'interrompait pour boire une gorgée de thé, réfléchir, se plonger dans ses souvenirs. Mais ces silences n'étaient pas de trop pour m'aider à encaisser le choc de la confrontation avec le passé.

D'après ce que j'ai compris de ce que Vera m'a raconté, et sa mémoire semble plutôt bonne, les parents de ma mère sont arrivés en France peu de temps après la fin de la guerre. Ils ont d'abord habité à Sainte-Geneviève-des-Bois, puis ont trouvé à se loger dans un petit appartement ouvrier de la rue de la Mouzaïa. Ma mère, m'a dit Vera, était très belle, adorait la musique et chantait dans la chorale de la paroisse. Elle avait un ami plus âgé, « Jan » (sans doute Jean Pamiat), avec qui elle faisait les quatre cents coups, comme fumer sous l'escalier de l'église et cacher des portées de chatons nouveau-nés derrière l'iconostase. Mon grand-père s'appelait Oleg et ma grand-mère Daria.

En arrivant, lui avait exercé toutes sortes de métiers, ouvrier dans une fabrique de corsets, jardinier, puis chauffeur de taxi. Un an après son arrivée, Daria avait pris le relais, en faisant des ménages pendant qu'il repassait en France, à plus de quarante ans, une partie de ses diplômes de médecin perdus dans l'exode ; le tout en se battant pour obtenir la naturalisation de toute la famille. À un moment donné, ils avaient réussi à économiser suffisamment pour louer un minuscule trois-pièces, dont une servait de cabinet de consultation. Les affaires avaient vite prospéré, et le cabinet avait pu s'agrandir quelques années plus tard. C'est à ce moment-là que la famille avait quitté le XIXe. Vera ne se souvenait pas exactement quand ils étaient partis, mais se rappelait qu'ils s'étaient installés dans le sud de Paris.

Avant que les relations, éloignement aidant, ne se distendent, Vera et mes grands-parents s'étaient revus en été, pour des vacances. Natacha était revenue plusieurs fois à Saint-Serge pour saluer ses anciennes connaissances. Lors de sa dernière visite, elle était, m'a dit Vera, *zamoujem* – mariée – et elle avait un nourrisson dans les bras. « *Eto byla ty, eto byla ty* » (c'était toi), répétait la vieille femme en hochant la tête et en tapotant mon bras. Moi je regardais ses yeux délavés, laiteux, comme tous ceux des grands vieillards, ces yeux qui trente-neuf ans plus tôt m'avaient contemplée dans les bras de ma mère et en avaient gardé la photographie intérieure quelque part dans les replis du cerveau, une photographie que je ne verrais jamais.

Vera savait que Natalia était morte : elle l'avait appris par le prêtre de Saint-Serge avant même de recevoir le faire-part. Le prêtre lui avait aussi annoncé, un an ou deux après, le décès du docteur Zabvine. « *Ot tchiévo ona oumirla ?* » (De quoi est-elle morte ?) – « *Ia nié znaïou* » (Je ne sais pas).

À ce moment-là, la vieille femme s'est extraite avec bien du mal de son fauteuil à la tapisserie râpée et elle est partie, appuyée sur sa canne, dans une autre pièce. Je l'entendais ouvrir des portes et remuer des objets, tout en grommelant en russe des mots que je ne comprenais pas. Je suis restée là plus d'un quart d'heure, sans bouger, dans la pénombre de l'automne qui envahissait le salon, éclairé seulement par le rectangle de plus en plus pâle de la fenêtre. Je me demandais ce qui fait la vérité d'un être, ce que l'on devient quand on grandit sans souvenirs, qui étaient ces gens qui m'avaient connue et dont je ne savais rien, s'il restait en moi quelque chose d'eux, un mot, une image, une odeur. *Je suis la fille de Natalia Zabvine. Ia dotch Natali Zabvin.* La phrase tournait et retournait dans ma tête, dans les deux langues, et j'éprouvais à la répéter en pensée autant de peur que de joie.

Vera Vassilieva a fini par revenir, avec une boîte à chaussures cabossée sous le bras. Elle m'a fait signe d'allumer la lampe, s'est laissée tomber, essoufflée, dans le fauteuil, a fermé les yeux quelques secondes, puis a soulevé lentement le couvercle et s'est mise à farfouiller durant de longues minutes, de ses doigts engourdis par l'arthrite, au milieu de vieilles lettres, de faire-part, de photographies. De temps à autre, elle en extrayait une, en me disant « *Posmotri !* » (regarde) : j'ai vu passer des images du quartier dans les années 40, d'autres photos de Saint-Serge, une où j'ai reconnu Jean

Pamiat, le cliché d'un bébé (moi) tenu fermement par une main inconnue, et un portrait de mes grands-parents. La femme assise du déjeuner sous la tonnelle était bien ma grand-mère.

Puis le geste s'est interrompu, et la main a saisi, très lentement, une photographie qu'elle a tendue vers moi. « *Davaï, posmotri !* » J'ai regardé : c'était ma mère, enceinte.

De moi, forcément.

Mon propre passé, qui me paraissait flou et sans contours, a alors pris un visage au grain si net que mon cœur a manqué un battement. À cet instant, j'ai su que la personne qui franchirait dans l'autre sens le seuil de l'appartement de Vera Vassilieva ne serait plus tout à fait cette Hélène Hivert qui y était entrée.

Quand je suis partie, il faisait nuit. Je suis allée boire un cognac dans le premier bistrot que j'ai trouvé, avec l'impression que la violence de l'alcool me rendait peu à peu à la sensation du réel. Je suis rentrée nauséeuse, avec un début de migraine. Quand j'ai retrouvé l'appartement, j'ai eu l'impression de rentrer d'un voyage à l'autre bout de la terre. Heureusement, il y avait Bourbaki, qui se fiche bien de mes états d'âme généalogiques et réclame sa gamelle à heures fixes.

Vera, elle, m'a donné la photo de ma mère.

Je regarde cette image qui s'impose, impérative, et c'est tout le reste de ma vie qui m'apparaît maintenant factice et mensonger. Plus on me parle de Natalia, plus elle m'apparaît joyeuse, gaie, aimée. Qu'a-t-il pu se passer, quel crime a-t-elle pu commettre pour se retrouver ainsi rayée de la carte de la mémoire familiale ?

Je vais maintenant écrire à l'Ordre des médecins de Paris pour savoir où exerçait le docteur Zabvine, mon grand-père, en espérant que je pourrai retrouver d'autres personnes ayant connu ma mère. Je suis désolée que ces nouveaux éléments ne nous apprennent rien sur votre père, mais je suis certaine qu'ils appartiennent au fil qui nous conduira jusqu'à lui.

Si vous avez quelques minutes, donnez-moi de vos nouvelles, cela me ferait plaisir.

Bises.

Hélène

Rovaniemi, 14 octobre (courriel)

Ma chère Hélène,

Je suis confus de n'avoir pas fait signe plus tôt : les jours passent vite (les nuits, devrais-je dire, en fait), et le séjour se révèle un peu accaparant.

La lecture du récit de votre expédition à Saint-Serge m'a captivé. Je crois que je comprends votre émotion et que, dans une certaine mesure, je l'éprouve, au moins en partie. À force de m'interroger moi aussi sur ces événements, je me suis attaché à ces deux êtres que nous avons l'un et l'autre si mal connus. Et je suis comme vous à l'affût de la moindre bribe d'information. La rencontre de cette madame Vassilieva a été providentielle : un lieu, une date, des photos, de nouvelles pistes. Et il nous reste tant à découvrir !

Une chose m'intrigue : où avez-vous appris à parler russe ?

Ici, tout se passe au mieux. Les étudiants sont charmants, motivés, et les collègues sympathiques, même si l'hospitalité finlandaise reste un peu distante. L'université m'a prêté un appartement non loin du campus, en pleine nature ou presque, et je savoure la distance qui me sépare des tâches administratives... Cela dit, je serai content de rentrer, pour retrouver de la *vraie* marmelade d'oranges, et ma *vraie* boîte aux lettres.

Mes amitiés à Bourbaki. Et pour vous, une bise.

Stéphane

Paris, le 16 octobre 2007

Cher Stéphane (dit « Le Polaire »),

Bourbaki vous remercie et vous transmet en retour ses amitiés. J'ai d'ailleurs dû le déloger du clavier pour pouvoir écrire ce message.

Heureuse de savoir que tout se passe bien. Je vous envie d'être là-bas, en ces terres des plus septentrionales. Y a-t-il déjà de la neige ?

Pour répondre à votre question, j'ai appris quelques bribes de russe à l'Inalco (les « Langues O' »), où j'ai suivi des cours pendant cinq ans. Mon niveau est à peu près nul, car la morphologie verbale a été plus forte que moi. Mais disons que j'en sais assez pour faire la différence entre un hamburger et une portion de caviar sur une carte de restaurant.

J'ai toujours été attirée par cette langue, et je commence à comprendre pourquoi. Quand je l'apprenais, il est arrivé que j'éprouve un sentiment bizarre de familiarité avec certains mots, notamment les séries : le nom des nombres, les couleurs, les jours. Des associations aussi : l'adjectif *galuboï* m'évoque toujours le souvenir d'une étoffe, avec des perles, des dorures. La première fois que j'ai entendu le mot *kotënok*, qui ne se prononce pas vraiment comme il s'écrit, j'ai revu des images mêlées, une couverture, une fourrure. La même impression de chavirement intérieur que j'ai ressentie dans un café, à Aix-en-Provence, en sentant le parfum de ma voisine de table, parfum que j'avais la certitude d'avoir respiré dans la toute petite enfance. Bref, un « effet madeleine » tout à fait massif.

Un jour, un de mes profs m'a demandé si j'avais déjà parlé russe ou entendu parler russe autour de moi et a eu un haussement de sourcils étonné quand je lui ai assuré que non. Cela fait partie des détails que l'on classe dans sa mémoire sans y penser – jusqu'au jour où l'on en comprend le sens.

Si ma mère était russe, ce que son nom indique, elle a bien sûr dû m'apprendre tous ces mots lorsque j'étais enfant, bien que je les aie oubliés.

Elle a dû me tenir dans ses bras, me chanter des chansons, m'apprendre à compter, *odin, dva, tri, tchityri*, et j'ai tout oublié.

Quand rentrez-vous ?

Je vous embrasse.

Hélène

Rovaniemi, le 20 octobre 2007 (carte postale)

Chère Hélène,

Une pensée très amicale pour vous depuis la Scandinavie. Vous qui aimez le nord et le froid, vous seriez ici comme un poisson dans l'eau (glacée).
Bises.

Stéphane

Paris, 23 octobre (courriel)

Cher Stéphane,

Je ne sais pas où ce message vous trouvera, mais je voulais vous annoncer que Sylvia est décédée cette nuit. Je vous écris dès que possible.

Hélène

Rovaniemi, 23 octobre (courriel)

Ma chère Hélène,

Je suis sincèrement désolé. Les mots sont bien faibles en pareil cas, mais j'imagine la peine que vous devez ressentir, et je suis de tout cœur avec vous. Y a-t-il quelque chose, de là où je suis, que je puisse faire pour vous ? À défaut de mieux, je ne peux que vous assurer de mille pensées présentes, et proches, malgré la distance.

Je vous embrasse très fort.

Stéphane

Paris, 26 octobre (courriel)

Cher Stéphane,

Merci d'avoir appelé et ne vous inquiétez pas pour l'heure tardive. Vous avez bien fait. C'était tellement réconfortant d'entendre votre voix... Je savais depuis longtemps que Sylvia allait mourir, et, à sa manière, elle nous avait déjà quittés, mais le choc est tout de même rude. Comme je vous le disais, les derniers moments ont été... difficiles.

Et puis elle était ma mère, même si elle ne m'avait pas mise au monde.

Je vous embrasse et vous donne des nouvelles très vite.

Hélène

7

Le ciel est couvert, mais le soleil a gardé suffisamment de puissance pour transpercer la couche dense des nuages. Ils diffractent une série de rayons obliques, visibles à l'œil nu, qui terminent leur course lente à la surface de l'eau. Cette lumière de quatre heures de l'après-midi, de réflexion en réflexion, nappe d'argent liquide la masse de la marée descendante, qui décrit des cercles de plus en plus nonchalants, laissant échoués sur le sable humide de menus débris minéraux, algues, coquillages. Le recul des eaux n'empêche pas la mer d'étaler son opulence tranquille, rythmée par la crête des petites vagues qui strient son étendue de lignes parallèles. La plage est désertée. Seul un couple de promeneurs accompagné d'un chien, au loin, dérange cet éloge du vide. Seul ou presque, en réalité : en scrutant l'arrière-plan, on reconnaît la minuscule silhouette d'un enfant assis (où sont ses parents ?) qui a l'air de jouer dans le sable. On devine le vent vif, la fraîcheur de l'eau, la densité du sable qui vient d'être rendu à l'air libre, après avoir subi l'étreinte inexorable des vagues pendant toute la durée du jour.

Sur la gauche, dans l'angle supérieur de la photo, le front de mer déroule ses façades imposantes, harmonieuses, géométrie fluide de l'eau contre force compacte de la pierre. Une rupture dans l'alignement : un bâtiment isolé de part et d'autre par une trouée dans les immeubles. L'angle en a écrasé l'impressionnante longueur ; la hauteur demeure imposante, soulignée qu'elle est par plusieurs cheminées donnant à l'édifice des allures de petit château. Les deux pointes du U qu'il forme s'avancent, conquérantes, vers la mer ; elles enlacent une large verrière, architecture de fer qui défie de sa beauté anachronique la majesté impavide de la plage. Ce pourrait être un casino, une gare, un hôtel : l'une de ces réalisations ambitieuses de l'architecture balnéaire des années 1900, décor d'un roman où se croiseraient les figures cosmopolites de la Mitteleuropa. Pour l'heure, le reflet intense du soleil sur les eaux, la plage couleur de mercure, les troncs plantés en guise de brise-lames, la solitude de la pierre dormante ont été arrachés à toute temporalité, pour composer un moment suspendu entre terre et mer, où s'abîme la lumière sourde d'une après-midi baignée d'iode et d'oiseaux.

Paris, le 16 novembre 2007

Cher Stéphane,

Vous voudrez bien excuser mon long silence. Les jours qui ont suivi le décès de Sylvia ont été assez mouvementés, et je n'ai pas encore terminé de régler les formalités administratives. Disons qu'elles auront eu le mérite de m'occuper. J'ai repris le travail la semaine dernière, ce qui est aussi une manière de me changer les idées. Je vous le disais la dernière fois au téléphone : on a beau s'y attendre, c'est tout de même un choc. À quelques mois près, je me sens, comme dans la chanson de Barbara, orpheline à quarante ans.

Par chance, à la toute fin, Sylvia n'était plus consciente de ce qui lui arrivait. Elle a été, comme elle le souhaitait, incinérée sans cérémonie religieuse, et ses cendres reposent aux côtés de celles de mon père. La crémation a eu lieu en présence de son frère, de ses amis encore en vie, et de ses anciens collègues, venus nombreux. Il faisait beau, elle a eu le soleil pour son dernier voyage.

J'ai temporairement abandonné nos démarches, je ne me sens pas le courage de poursuivre l'enquête. Un deuil à la fois. Pour l'instant, je voudrais penser en paix à celle qui vient de s'en aller et qui, elle, n'était pas un fantôme, même si elle m'avait caché bien des choses.

Ne m'en veuillez pas trop.

J'espère que de votre côté tout va bien et que les retrouvailles avec l'Angleterre ont été réussies.

Je vous embrasse.

Hélène

Ashford, le 21 novembre 2007

Ma chère Hélène,

Merci d'avoir pris le temps de m'écrire. J'attendais de vos nouvelles avec impatience, tout en me doutant que vous aviez besoin de temps pour vous faire à cette nouvelle situation. Je me rappelle très bien ce sentiment, ressenti l'an dernier à la mort de mon père, d'être seul désormais, cette panique du survivant qui sait que le prochain, dans l'ordre des choses, ce sera lui. Pour vous qui n'avez ni sœur ni frère, c'est sans doute encore plus rude.

Avec les mois, l'impression est restée, mais elle s'est estompée, elle est devenue moins... violente. Il en sera de même pour vous, je pense. C'est la transition qui paraît longue.

Et bien sûr, non, je ne vous en veux pas. Pourquoi vous en voudrais-je ? Cette femme vous a accompagnée durant la majeure partie de votre vie d'enfant, puis d'adulte. Vouloir éprouver ce deuil-là, avant de porter celui d'une jeune morte sur une photo vieille de quarante ans, me paraît au contraire une réaction des plus saines. Les vivants d'abord, les ombres ensuite. Vous me disiez en sortant de chez Vera avoir été hantée par l'impression d'un mensonge, d'une falsification de votre vie. Quoi que l'on vous ait dit ou caché, chacune de vos lettres semble confirmer, sans aucun doute, une chose : vos parents vous aimaient. Et là-dessus, le mensonge n'est pas possible. On ne leurre pas pendant trente-neuf ans une enfant sur la qualité de l'affection qu'on lui porte.

Je sais que le moment n'apparaît pas très judicieux pour lancer des invitations, mais si vous avez l'impression que quelques jours hors de Paris vous aideraient à surmonter ce cap difficile, ma maison vous est ouverte.

Très affectueusement à vous.

Stéphane

P. S. : J'ai découvert dans l'album « *Bretagne 68* » une série de photos de bord de mer. Je ne sais pas pourquoi la beauté de l'une d'elles m'a à ce point frappé, mais j'ai tout de suite eu envie de vous l'envoyer, parce qu'elle est apaisante. L'eau, la lumière, le sable, cette bâtisse : le temps n'a pas de prise sur un paysage d'une telle perfection. Mon père était vraiment un photographe remarquable ; quel dommage qu'il ait négligé de chercher à faire connaître ou diffuser son œuvre...

Paris, le 27 novembre 2007

Cher Stéphane,

J'apprécie votre offre à sa juste valeur, mais il est encore un peu tôt pour moi ; je redoute d'être de sinistre compagnie. Pour l'instant, le travail, et j'en ai beaucoup, m'aide à tenir bon. Mais si vous maintenez l'invitation ultérieurement, rien ne me ferait plus plaisir que de vous rendre visite. Je suis curieuse de savoir à quoi ressemble l'endroit où vous vivez, et votre jardin plein de bizarreries végétales.

Vous avez raison, mes parents m'aimaient. J'en ai parfois douté pour mon père, qui était ombrageux et assez distant avec moi, puis cette idée m'est passée. C'était un militaire, pas très expansif, ni par la parole, ni par le geste. Même à la fin de sa vie, quand il était très malade, j'avais du mal à le toucher. Sylvia m'a raconté que, quand j'étais petite, il m'est arrivé de lui dire « vous » au lieu de « tu » tellement il m'impressionnait. De temps en temps, il avait des accès de colère dont je comprends mieux le sens aujourd'hui (comme casser en deux mon trente-trois tours des Chœurs de l'armée Rouge, que j'écoutais en boucle dans ma chambre à l'adolescence). Avec le recul, je pense que c'est un homme qui avait beaucoup souffert et ne voulait pas le laisser voir.

Merci pour la photographie. Deux des albums que vous m'avez laissés ont aussi la Bretagne pour thème, et je les feuillette souvent : votre père a su en capter la lumière, le caractère rugueux, la beauté minérale. Il devait avoir une affection toute particulière pour cette région. Je peux vous dire ce que représente la photographie : il s'agit de l'hôtel des Thermes de Saint-Malo, très reconnaissable, ainsi posé au bord de la mer. C'est un endroit où je vais parfois me reposer un jour ou deux, quand j'en ai assez de l'hystérie et du bruit parisiens. Le lieu semble, en effet, éternel.

Je vous embrasse.

Hélène

Paris, 1er décembre (courriel)

Cher Stéphane,

J'ai fait un cauchemar cette nuit. Vous et Sylvia étiez en pleine conversation, et elle vous expliquait que mon père était trop souvent parti en voyage.

Depuis plusieurs semaines, je ne dors plus parce que je tourne et retourne des pensées dans ma tête. Et notamment une phrase que Sylvia a dite avant de mourir, très distinctement, en russe, et qui voulait dire quelque chose comme « l'enfant a oublié sa naissance ». Elle a utilisé une forme particulière, *zapamiatovala*, qui est une variante du verbe oublier, et qui signifie littéralement : *elle l'a mis derrière sa mémoire.* Je ne sais pas ce qu'elle a cherché à me dire par là, ni qui était l'enfant à qui elle pensait. Ce furent ses derniers mots intelligibles.

J'ai reçu hier une lettre de son notaire, qui veut me rencontrer pour la succession. Ce genre de mots fait prendre conscience de la disparition d'une manière presque plus violente que la disparition elle-même. Sylvia me manque. Elle me manquait depuis des années, de toute façon.

131

L'hiver a pris possession de Paris : il neige, et le métro aérien était tout blanc ce matin. J'aime cette ouate, ce velours d'eau, qui apaise le rythme de la ville et l'humanise. D'ordinaire, je vais faire des photos, mais là, je me contente de regarder.

Je me rends compte que le ton de cette lettre est mélancolique et j'en suis désolée. J'aimerais avoir des choses plus drôles à vous raconter. Cela reviendra, j'espère. Je pense souvent à vous.

Hélène

Ashford, 2 décembre (courriel)

Chère Hélène,

Moi aussi je pense souvent à vous, et avec un peu d'inquiétude ces jours-ci. Vous êtes certaine que vous ne voulez pas venir me voir à Ashford ? Bourbaki est invité aussi, si ses vaccinations sont à jour, il pourra faire le chaperon.

Il y aurait une autre possibilité, que je me sens un peu cavalier de vous proposer alors que vous êtes en pleine période de deuil, mais je me jette à l'eau : voulez-vous me rejoindre pour les fêtes de fin d'année à Genève ? Traditionnellement, j'y vais pour dix jours, et je passe Noël avec Philippe et son amie Marie. Ils seront ravis de nous recevoir, et vous pouvez compter sur eux pour nous accueillir sans arrière-pensée.

Ce serait aussi l'occasion de vous montrer toute la collection des photographies, ce que je n'ai pu faire en août, et de vous changer un peu les idées, si vous aimez la marche hivernale. Je sais à quel point le premier Noël sans ses parents est un moment délicat, et peut-être qu'un petit séjour dans un lieu inconnu de vous serait une manière d'amortir le choc.

Mais sans doute avez-vous déjà mille amis qui vous attendent un peu partout à cette date.

J'ai découvert un détail troublant dans l'album, mais je me sens mal à l'aise de vous importuner avec cela en ce moment. Dites-moi quand vous aurez envie qu'on en reparle.

Je vous embrasse très fort.

Stéphane

Paris, le 4 décembre (courriel)

Cher Stéphane,

J'aurais accepté, sans arrière-pensée, comme vous dites :-) L'idée de profiter de l'hiver suisse et d'un peu de marche dans la neige aurait été un bon remède à la mélancolie des jours présents... Mais j'ai déjà promis de me rendre à une invitation en Allemagne, qu'il serait indélicat de décommander. En tout cas, merci pour l'attention, qui me touche. Passez-vous par Paris comme la dernière fois ?

En attendant, vous pouvez toujours me dire ce qui vous a intrigué. Maintenant, c'est moi qui suis intriguée...

Je vous embrasse.

Hélène

P. S. : J'ai reçu aujourd'hui un mail de l'Ordre des médecins, à qui j'avais écrit avant la mort de Sylvia. Ils me confirment qu'un docteur Oleg Zabvine, ophtalmologiste, a bien été inscrit sur leurs registres : il a d'abord exercé 4, rue Manin, de 1954 à 1958, puis 22, rue Marsoulan, dans le XIIe, de 1958 à 1973. Vera Vassilieva avait bonne mémoire.

Ashford, le 6 décembre 2007

Chère Hélène,

Quel dommage que vous ne puissiez être des nôtres ! J'aurais beaucoup aimé vous montrer « notre » hiver à nous au fil de quelques mini-randonnées. Malheureusement, je me rends à Genève en avion cette fois-ci, car le Shuttle était complet. À mon grand regret, il n'y aura donc pas de halte parisienne.

Ce qui m'a intrigué – un peu plus que cela, même – a été de découvrir la « sœur jumelle » de la photo que Vera Vassilieva vous a donnée. Je l'ai trouvée dans l'album que mon père a fait en Bretagne en 1968. C'est quasiment la même image, réalisée à quelques minutes, voire quelques secondes d'intervalle. Je ne comprends pas très bien comment elle a pu atterrir là. Mais la coïncidence qui a fait réapparaître presque au même moment ces deux clichés, alors qu'ils dormaient depuis quarante ans dans deux lieux différents, si loin l'un de l'autre, a quelque chose d'effrayant.

Je vous embrasse et vous dis à très bientôt.

Stéphane

Paris, le 14 décembre 2007

Cher Stéphane,

Je ne vois pas non plus d'explication pour le moment à ce fait bien étrange, et je vais renoncer à en chercher une dans l'immédiat. Mais si je pense à quelque chose, je vous le dirai.

Ici, il est tombé au moins vingt centimètres de neige, d'où un silence inhabituel à Paris ; on n'entend que le bruit étouffé des voitures et le raclement des pelles des employés municipaux, qui creusent tout au long du jour de petites allées sur les trottoirs. Le métro aérien est tout blanc. Bottée et vêtue en Esquimaude, je suis allée hier matin me promener aux Buttes-Chaumont, et j'en ai rapporté quelques photographies pour vous. J'aime beaucoup l'hiver, qui est devenu au fil des ans ma saison préférée. Celui-ci, qui protège ma tristesse, est un sortilège auquel je ne parviens pas à m'arracher.

Il le faut, pourtant, car le bouclage du catalogue a pris pas mal de retard, suite à ces semaines difficiles.

Je ne cesse de différer ma visite au notaire de Sylvia, que je n'ai pas rappelé.

Je n'ai pas non plus très envie de me rendre chez mes amis allemands, en vérité. Genève ne m'aurait pas déplu, et je suis de plus en plus curieuse de découvrir le reste de la collection photographique. Le peu que j'en ai vu m'incite à croire qu'il faudrait peut-être que votre frère et vous songiez à faire exposer l'œuvre de votre père – car c'est bien une œuvre, à ce niveau d'aboutissement. Je pourrais vous aider à trouver un lieu à Paris, si vous le souhaitez.

Quand cette lettre arrivera, vous serez sûrement en instance de départ. C'est pourquoi je vous souhaite sans plus attendre de très bonnes vacances genevoises, et d'excellentes fêtes de fin d'année.

Je vous embrasse.

Hélène

31 décembre, 00 h 04 (message SMS)

Chère Hélène, superbe année à vous ! Et tout de bon, comme on dit ici. 2008 bises. Stéphane

31 décembre, 1 h 17 (message SMS)

Depuis Göttingen, très belle année à vous aussi, cher Stéphane. Je vous embrasse... et sans compter ! Hélène.

8

Le fond est sobre, gris clair : pas de nuages, de faux jardinet, de colonnes en stuc, ni de bancs peints. Juste quatre personnes, saisies à la même seconde, dans le même fragment d'espace. Deux sont des adultes, les deux autres des enfants. Tous baignent dans un halo de lumière douce, qui veloute le grain de la peau, adoucit les traits, confère aux cheveux une épaisseur lustrée. Une femme se tient à gauche de l'image : de taille moyenne, les yeux clairs, les cheveux clairs, retenus par deux nattes épaisses qui font le tour de sa tête. Les cils, blonds, sont invisibles, ce qui lui donne un regard fixe et vulnérable, malgré le large et franc sourire qui éclaire son visage menu. Le reste du corps, pris dans une robe blanche à la coupe droite et au tombé impeccable, est musclé, compact, ligneux : on devine la sportive, la marcheuse, les pas solides et fermes à flanc de montagne. Elle tient par l'épaule le plus grand des garçons, vêtu, comme l'autre (son frère de toute évidence), d'un costume à culottes courtes. Les cheveux de l'aîné ont été passés à la brillantine, raie à gauche, et l'on distingue les traces régulières du peigne qui a creusé des sillons dans la masse blonde. Le garçon esquisse un sourire timide, mais il paraît rêveur, engoncé dans sa veste et sa cravate nouée haut sur son col.

Le plus petit est assis sur un fauteuil, pour éviter une dissymétrie trop frappante dans l'alignement. Lui rit franchement, et l'on devine, au positionnement de sa jambe, car on voit la pointe de sa bottine, qu'il a dû se tortiller et bouger au moment de la photo. Une de ses mains est emprisonnée dans celle de son frère ; l'autre est un peu ouverte, doigts vers le haut, paume en avant, comme celles des tout-petits. Le nœud de velours qui tient lieu de cravate a glissé, une des chaussettes de fil amorce un mouvement de tire-bouchon, et les boucles de ses cheveux, résolument rebelles, encadrent un visage lunaire de petit prince farceur. Il ne regarde pas devant lui, comme on a dû le lui dire, mais sur le côté, levant les yeux en direction de l'homme à sa gauche.

Celui-ci a revêtu pour la circonstance un costume sombre, une cravate unie, et a lui aussi usé de la brillantine, ce qui n'a pas empêché sa chevelure épaisse et bouclée – car il a maintenant les cheveux plus longs de quelques centimètres – de reprendre tout son volume. Une des mains, blanche et osseuse, effleure du bout des doigts l'épaule du petit garçon, mais sans exercer de contrainte. La tenue classique, la posture droite et sobre ne sont pas venues à bout de cette ironie infime du corps qui se sait beau, de sa superbe inattendue. Une ombre de sourire, pourtant, ou d'amertume, qui sait, dans les yeux de l'homme, dit qu'il n'est pas complètement dupe du rituel photographique qu'il a lui-même orchestré, mais qu'il l'honore de son mieux.

Il se tient en arrière, en décalage : oh, très léger, quelques centimètres, tout au plus, par rapport aux trois autres. La hâte, sans doute, une fois le retardateur déclenché, de reprendre au plus vite sa place dans la photographie, à un endroit préalablement défini par un premier repérage. Et de confier à la chimie le soin de devenir à jamais, par la grâce du papier brillant qui s'apprête à distribuer les rôles dans les mémoires des uns et des autres, le père de ses enfants.

Ashford, le 8 janvier 2008

Chère Hélène,

Comment allez-vous ? Avez-vous passé de bonnes vacances allemandes ? Qu'est-ce que Bourbaki a reçu pour Noël ?

Je suis rentré de Genève samedi, après un séjour familial qui a été des plus agréables. Mon frère Philippe est une personne très attachante, pleine d'humour aussi, que j'aime énormément ; c'est lui qui a repris le flambeau photographique, mais en amateur (il est architecte de profession). J'aimerais que vous fassiez sa connaissance ; je suis sûr que vous vous entendriez comme larrons en foire.

Comme je suis venu en avion, je n'ai pas pu rapporter autant d'albums que la dernière fois, mais la moisson est bonne. Pas tellement pour notre enquête, mais plutôt pour moi : j'ai trouvé une série de photos de famille, prises aux alentours des années 69-70. On nous y voit tous les quatre, ce qui est rarissime. Je vous en envoie une, à titre de curiosité, ou d'échantillon sociologique, comme vous voulez, de ce à quoi peut ressembler une famille suisse modèle (en apparence, tout du moins). Bien sûr, vous aurez reconnu votre serviteur en la personne du petit garçon bien peigné à gauche de l'image, et vous aurez eu la gentillesse de ne pas pouffer de rire.

J'ai encore trouvé une série sur la Bretagne, mais datant cette fois de 1970, avec des vues incroyables sur ce grand hôtel dont vous m'avez parlé et que je rêve maintenant de visiter. On croirait l'endroit tout droit sorti d'un roman de Vicky Baum (oui, j'avoue, je lis ce genre de littérature. Promettez-moi que vous ne le répéterez pas...)

Organiser une exposition ? Pourquoi pas ? Je crois comme vous que les photos sont largement du niveau de celles de certains photographes professionnels : rien qu'avec les albums « *Bretagne* » nous aurions déjà un bel ensemble. Mon père était un admirateur inconditionnel d'Atget, et il s'en est inspiré pour choisir certains angles de ses prises de vue. Des géométries remarquables, une manière particulière de saisir le vide, le silence des surfaces... Notre enquête aura été pour moi l'occasion de redécouvrir son travail, et de m'interroger autrement sur cet homme qui semblait fasciné par l'absence de tout être humain.

Je vous embrasse.

Stéphane

Paris, 12 janvier (courriel)

Cher Stéphane,

Avant toute chose, je tiens à vous dire 1) que vous êtes irrésistible en culottes courtes, 2) que, si vous souhaitez fonder un club des admirateurs de Vicky Baum, je pense être la femme de la situation. Je les ai TOUS lus, sans exception.

Sinon, les vacances se sont bien passées, merci, et je suis heureuse qu'il en ait été de même pour vous. J'ai écourté de quelques jours mon séjour en Allemagne, car je n'avais guère le cœur à être en compagnie. J'ai préféré rentrer à Paris, et offrir en guise de cadeau quelques câlins au gros Boubou (qui a fait une cure de friandises chez la voisine).

J'ai profité de ce temps libre inattendu pour passer rue de l'Observatoire. Je ne sais pas si vous êtes lecteur de Sebald, un romancier allemand ; il a écrit un court récit autour du corps d'un guide pris dans les glaces et recraché par le glacier des dizaines d'années plus tard. Le bureau de mon père commence à me faire le même effet. J'ai passé au peigne fin quelques-unes des étagères du bas, puis celles qui étaient tout en haut.

Et là, nouvelle surprise, une boîte à archives, noire, fermée par deux cordonnets noués, du format qu'on utilise dans les bibliothèques, et qui d'ailleurs portait encore une cote et une inscription. Elle ne contenait qu'un paquet cartonné, envoyé depuis Genève en janvier 1973, sans nom d'expéditeur. Une lettre, décachetée, accompagnait un coffret plat en fer-blanc, du genre de ceux dans lesquels on range les biscuits ou les bonbons. Je vous la recopie :

« M'étant trouvé à l'hôpital au moment de son décès, j'ai pu me faire restituer les effets personnels de votre épouse, et vous les retourne aujourd'hui. Natalia, qui était mon amie la plus chère, était une personne exceptionnelle, et sa mort nous laisse tous désemparés. Soyez assurés, votre petite fille Hélène et vous, de ma très profonde sympathie dans le deuil terrible qui vous frappe. Jean Pamiat. »

L'adresse de l'envoi m'apprend qu'à cette époque mes parents habitaient Brest, au 71 de la rue Félix-Gray.

Le nœud du cordon qui entourait la boîte n'avait même pas été défait, et je me suis mise à trembler au moment de le couper. Pour l'instant, j'ai emporté le tout chez moi et n'ai touché à rien. Donc Natalia est bien morte à Genève, dans un accident. Et mon père n'était pas là. Était-elle avec le vôtre ? Croyez-vous qu'il y ait une manière quelconque de communiquer avec Jean Pamiat pour en savoir plus ?

Je vous embrasse.

Hélène

Ashford, 12 janvier (courriel)

Chère Hélène,

Jean est trop diminué pour pouvoir expliquer quoi que ce soit, mais je vais lui parler de cette enveloppe à ma prochaine visite, en posant des questions auxquelles il puisse répondre par oui ou par non. Je vous le promets.

Si Natalia est morte à Genève en janvier 73, cela expliquerait l'humeur sombre de mon père à compter de cette année. Mais en 73, pour les souvenirs que j'en ai conservé, il habitait encore à la maison. À moins que ses absences pour des expéditions photographiques aient servi à masquer une vie parallèle.

Vous aurez peut-être d'autres indices en explorant le contenu de ce carton. Surtout, tenez-moi au courant.

Je vous embrasse.

Stéphane

Paris, 13 janvier (courriel)

Cher Stéphane,

Malgré l'envie que j'avais de savoir, j'ai dû me faire violence pour ouvrir la boîte, dont la ficelle desséchée s'est cassée net dès que je l'ai touchée. Le même trouble que chez Vera Vassilieva, la même impression que les ombres devenaient chair. Et que le reste de mes certitudes passées n'était que de la fausse monnaie. J'ai fait l'inventaire du contenu entre fascination et nausée.

J'ai désormais entre les mains l'alliance de Natalia, que l'on a dû lui ôter avant de l'incinérer, avec sa gravure (« Michel et Nathalie, 1er février 1968 »). Un autre anneau, lui en argent guilloché, portait une inscription en russe : « за чем пойдёшь, то и найдёшь », ce qui veut dire dire à peu près « Si tu cherches, tu trouveras. » Quelle ironie !... Si vous regardez attentivement l'autoportrait de votre père, vous verrez qu'il porte cette bague, ou sa réplique, en pendentif. Un briquet rectangulaire, laqué de bleu, avec un monogramme « NZ », un peigne en écaille, décoloré, des lunettes rondes dont un verre était cassé. Et un drôle de bracelet en forme de serpent, avec lequel j'ai peut-être joué lorsque j'étais enfant, car il me dit vaguement quelque chose.

La boîte contenait également un portefeuille, dont le cuir avait racorni et se craquelait sur les bords. Personne n'avait dû y toucher depuis trente-cinq ans et j'ai eu le sentiment de commettre un sacrilège en le fouillant. J'y ai trouvé une carte d'identité, encore à l'adresse de la rue de la Mouzaïa, un passeport, une carte de lectrice à Sainte-Geneviève, émise en 71, et des tickets de métro de première classe. Sur l'un d'eux, un numéro de téléphone sans nom de propriétaire. Et puis une photo de moi lorsque j'étais bébé, la même que j'avais vue chez Vera Vassilieva.

Au fond de la boîte, il restait un agenda, celui de l'année 1972. Sa couverture était complètement déchirée, comme si le cuir avait été entaillé par quelque chose de tranchant. Il comporte peu d'inscriptions : l'adresse d'une base militaire à Nouméa, des initiales (« P. », « I. » : Pierre ? Interlaken ?), des flèches, quand mon père était absent, avec les dates. Alors que la plupart des annotations sont en français, en avril 1972, Natalia a écrit un mot en cyrillique, assez compliqué. Selon mon dictionnaire, il signifie quelque chose comme « clinique d'hydrothérapie ». Pour quelle maladie ? En tout cas, il me paraît évident qu'elle voulait cacher la mention de ce séjour à mon père, d'où le choix du russe, je suppose. En octobre et novembre, plusieurs numéros de téléphone, dont un (le même que celui du ticket de métro), au centre, souligné. Et un rendez-vous avec un certain « Mᵉ Niemetz », le 22 octobre. Un avocat ? Pour un divorce ?

Elle a fait des croix, sans commentaire, sur certains jours, toutes les quatre ou cinq semaines, mais, à partir de septembre, elles disparaissent. À la fin, dans le carnet d'adresses, une théorie de noms que je n'ai jamais vus ni entendus, à l'exception de ceux de Vera Vassielieva, de Jean, et d'une certaine Sylvia M. (ma Sylvia, je pense). Une adresse sans objet, 284, rue Suzanne-Lilar, un rendez-vous dont elle n'a noté que l'horaire (« 15 h 00 ») à la date du 17 novembre, puis plus rien. Son arrachement à la vie a dû être des plus brutaux.

Ces nouveaux documents, pour l'instant, sont plutôt opaques. Mais ils me renseignent sur un point : le degré de haine ou d'indifférence que mon père a dû vouer à ma mère. Sans quoi, je suppose qu'il aurait tout de même pris la peine d'ouvrir la boîte. Un tel rejet est absolument incroyable. Je suis sous le choc.

J'ai retourné longtemps entre mes mains les objets de Natalia avec une sorte de ferveur superstitieuse. Je n'ai bien sûr osé passer ni les bijoux, ni même chausser ses lunettes. Elle était très myope : quand j'essaye de regarder au travers du verre intact, je vois le monde tout petit et déformé. Une crise d'asthme est venue m'interrompre, et j'ai dû attendre que le Salbutamol ait fait son effet avant de pouvoir vous écrire.

Y a-t-il un élément dans ce triste inventaire qui vous dise quelque chose ?

Je vous embrasse.

Hélène

Ashford, 14 janvier (courriel)

Chère Hélène,

Oui, deux éléments me sont familiers : mon père a toujours porté cet anneau suspendu autour de son cou, et Philippe doit encore l'avoir quelque part. Je n'ai jamais remarqué qu'il était gravé. Quant à la rue Suzanne-Lilar, elle se trouve à Lausanne, je le sais parce qu'il m'est arrivé de m'y garer quand j'allais là-bas. L'annuaire internet me dit qu'à ce numéro se trouve aujourd'hui un centre de rééducation ; je vais leur envoyer un mail pour savoir depuis quand ils y sont installés. Essayez peut-être de votre côté de retrouver ce maître Niemetz.

La prochaine fois que nous nous verrons, car j'espère que nous nous verrons bientôt, pourriez-vous me montrer cet agenda ? Il est possible que certains noms, voire des numéros de téléphone, me soient familiers, sait-on jamais ?...

Mais avant tout, pensez à vous et prenez soin de votre santé. Cette enquête vous touche de très (trop ?) près, et votre corps vous lance un avertissement. *Take care*, chère Hélène.

Je vous embrasse.

Stéphane

Paris, 17 janvier (courriel)

Cher Stéphane,

Je ne sais comment vous dire ce que j'ai à vous dire. Je dois écrire ce message et trouver le courage de l'envoyer, mais déjà il me coûte de penser aux conséquences.

Cette nuit, j'ai refait un cauchemar, où se mélangeaient les photos, l'alliance de ma mère, nos conversations, certaines choses que vous aviez dites à propos d'une image qui était la sœur de l'autre, et je crois que j'ai compris ce qu'a voulu dire Sylvia avant de mourir.

L'enfant, c'était moi, et la « naissance oubliée », c'est mon origine.

Pas géographique : génétique.

Quand on y pense, tous les indices concordent. Nos parents se connaissaient depuis au moins dix ans. Nous sommes presque sûrs qu'ils ont eu une liaison. Ils se sont trouvés au même endroit la même année : votre père a fait des centaines de clichés de la Bretagne en 1968, et il est passé par Saint-Malo. La photo de ma mère enceinte a été prise à Dinard, qui est à quelques minutes de bateau ou de voiture. Photo prise sans doute par Pierre ; c'est pourquoi il en existerait deux tirages, celui de Vera et celui qui était dans l'album « *Bretagne 68* ».

Je suis allée chercher les carnets de croquis de mon père et je me suis mise à faire les calculs. Je suis née le 10 septembre 1968, ce qui signifie que j'aurais été conçue autour du début du mois de décembre. Or mes parents ne se sont mariés que le 1er février, nous le savons grâce à leur alliance ! Par ailleurs, la série de dessins réalisés par mon père à Nouméa commence le 13 novembre de l'année qui précède, et court jusqu'à la *mi-janvier* (je suppose qu'il a dû rentrer pour se marier), à raison de deux ou trois notations par semaine. Il était donc absent d'Europe au début de l'hiver : or, sur la photo d'août, ma mère est clairement en toute fin de grossesse.

Deux solutions : soit je suis née prématurément, soit Michel Hivert n'est pas mon père. Et s'il ne l'est pas, qui d'autre sinon Pierre Crüsten, vers qui tous les indices nous ramènent ? Natalia aurait avoué la vérité à un moment donné, ou bien une ressemblance physique l'aurait trahie alors que je grandissais ? Cela expliquerait tout : le rejet honteux de sa mémoire, la gravité de la crise entre vos parents si votre mère l'avait su (une liaison se pardonne, mais admettre l'existence d'une enfant, c'est autre chose). Et l'attitude distante de mon père à mon égard, s'il savait que je n'étais pas sa fille, trouverait aussi sa justification.

J'essaye de me raisonner et de me dire que tout cela n'est qu'un tissu d'hypothèses absurdes. J'ai peur d'avoir raison. Les implications seraient tellement... affolantes.

Aidez-moi à y voir clair.

Je vous embrasse.

Hélène

Ashford, 17 janvier (courriel)

Ma chère Hélène, vous vous égarez. Ce que vous dites ne peut être vrai. Ce n'est pas possible. Mon père avait beaucoup de défauts, mais jamais il n'aurait laissé une enfant derrière lui (vous, en l'occurrence) sans s'en préoccuper. Et encore moins après la disparition brutale de votre mère. Cette hypothèse ne tient pas une seconde.

Vous n'êtes pas ma demi-sœur et je ne suis pas votre demi-frère. Il faut vous sortir cette absurdité de l'esprit. Je comprends que vous soyez très perturbée par vos découvertes et la disparition de Sylvia, mais ne vous laissez pas entraîner dans ces suppositions fantasques. Elles ne font que salir la mémoire de nos parents et ne nous aident en rien. Et si c'est à ce genre de conclusion que nous en arrivons, il vaudrait peut-être mieux en rester là.

Stéphane

Paris, 17 janvier (courriel)

Message bien reçu. Si cela peut vous rassurer, être votre sœur n'était vraiment pas ce que j'aurais souhaité non plus ; et puis j'ai passé l'âge d'avoir ce genre de rêve.

Hélène

Ashford, le 31 janvier 2008

Chère Hélène,

Janvier s'achève et je termine le mois avec une pierre sur le cœur. Cela fait des jours et des jours que je retourne les mots dans tous les sens sans savoir comment formuler ce message.

Je suis désolé pour ce que je vous ai écrit il y a deux semaines.

Ma réponse était sèche et blessante, et vous ne la méritiez pas. C'était une réponse idiote, en plus, car nous sommes sûrs tous les deux que nos parents ont eu une liaison ; donc pourquoi pas un enfant ensemble ? On ne peut pas choisir, parmi les événements qu'on découvre, seulement ceux qui nous plaisent.

Mais l'idée que nous puissions être apparentés m'a causé une intense déception. Déception à l'idée que mon père ait pu être ce genre d'homme, inconséquent et menteur, qui n'aurait pas pris la responsabilité de cette paternité. Une liaison, je pouvais l'imaginer : cette situation-là, non, pas du tout.

Déception, aussi, en pensant à toute cette souffrance inutile : celle de Philippe et moi (n'aurions-nous été que des obstacles au bonheur de mon père, au bout du compte, une famille en forme de pis-aller ou de regret ?), celle de votre père, s'il s'en est rendu compte, et la vôtre.

Et consternation, surtout, à l'idée que le lien qui se tisse entre nous depuis des mois doive aussi brutalement être révisé à l'aune d'une autre affection.

Maintenant, moi aussi j'ai eu le temps de réfléchir. Et je continue à croire que vous vous trompez sur l'enchaînement des faits. D'accord, tous les indices concordent. Mais cela ne signifie pas qu'on ne puisse leur donner une autre interprétation ! Sylvia vous a dit quelque chose à propos de naissance et d'enfant, certes, mais elle était en train de mourir, et atteinte de la maladie d'Alzheimer, qui plus est : de quelle lucidité dispose-t-on en pareil cas ? Vous avez fait les calculs, soit. Sauf que beaucoup d'enfants naissent prématurés, beaucoup, et qu'il est impossible d'évaluer précisément le stade d'une grossesse d'après une simple photographie. En admettant que Pierre et Natalia se soient revus *en décembre* en Bretagne, ce que rien ne prouve – votre mère habitait Paris ! –, ils n'ont pas forcément repris leur relation *tout de suite*... Et puis, vu l'époque, surtout dans une famille pratiquante comme la vôtre, un mariage était presque toujours précédé de fiançailles. Natalia aurait eu un amant pendant cette période ? Admettez qu'il y a là une sévère incohérence, qui vaut d'ailleurs pour tout soupçon que vous pourriez avoir au sujet d'une relation extra-conjugale.

Reste la photo, le point le plus délicat, mais aussi celui qui plaide le plus en faveur de ma thèse. Imaginons un instant : mon père, de passage en Bretagne, aurait su, par Jean Pamiat, par exemple, que Natalia était en vacances dans les parages. Il aurait pu se sentir *autorisé* à venir saluer une vieille amie, désormais mariée et attendant son premier enfant. Rien de répréhensible là-dedans ! Pensez-vous qu'il aurait pris le risque de se montrer devant votre grand-mère Daria et d'autres connaissances s'ils avaient été amants ? À mon avis, il a simplement dû faire quelques clichés en souvenir de cette après-midi. Il aura ensuite, par politesse, adressé un tirage à Vera, un à Natalia, et en aura conservé un pour ses archives personnelles. À moins que Pierre ne soit même jamais venu jusque-là et que ce soit tout simplement Jean le photographe...

Les photos dont nous disposons nous suggèrent que quelque chose a dû se passer entre eux *après* votre naissance ; de cela je suis convaincu. Mais qu'ils aient eu un enfant à ce moment-là de leur vie respective me paraîtrait bizarre. Et puis vous ne ressemblez pas du tout à mon père, ni à Philippe, ni à moi d'ailleurs.

Il existe une manière d'en avoir le cœur net : elle consiste à faire un test ADN, qui peut fonctionner pour les personnes ayant un des deux parents en commun. Je ne suis pas spécialiste de biologie animale, mais j'ai de bons collègues et je sais lire un résultat. Donc, si vous m'envoyez par Fedex en retour le kit que je joins à ce courrier, nous aurons la réponse dans moins d'une semaine.

J'aimerais que vous me pardonniez la réaction malheureuse que j'ai eue devant votre hypothèse, dont je reconnais le bien-fondé, même si je la combats énergiquement. Mais c'est peut-être beaucoup demander.

Votre ami malgré tout.

Stéphane

Paris, le 4 février 2008

Cher Stéphane,

Il est vrai que vos mots m'ont fait mal. Je plaide coupable de mon côté pour vous avoir asséné cette hypothèse par mail, ce que je n'aurais jamais dû faire.

Je suis tout aussi consternée que vous, et je peux vous le dire maintenant, pour les mêmes raisons. Cela fait désormais presque un an que nous nous connaissons, et si je pense souvent à vous, c'est parfois sur un mode légèrement différent du sentiment fraternel (et je pense en l'écrivant qu'il va falloir vivre avec les conséquences de cette phrase. Mais bon, à ce stade, je vous dois bien un peu de franchise).

En revanche, mon hypothèse n'est pas si aberrante que cela, je le maintiens. En 1968, la situation des femmes était autrement plus compliquée qu'aujourd'hui. La légalisation de la contraception venait juste d'être votée, les décrets, eux, n'étaient pas entrés en vigueur, avorter était illégal et se faisait la plupart du temps dans des conditions ignobles. À supposer quand même que Natalia soit tombée enceinte de Pierre pendant ses fiançailles (et qui sait si elle n'a pas hâté son mariage simplement pour éviter le scandale...), elle n'aurait pas été la première à essayer de faire passer l'enfant d'un autre pour celui de son mari. Et votre père aurait pu ne jamais le savoir, d'où son indifférence à mon sort.

Le test est la meilleure manière d'être fixés. J'ai suivi à la lettre toutes les consignes, et j'espère que l'échantillon sera exploitable.

Prévenez-moi dès que vous aurez les résultats.

Hélène

Paris, 10 février (courriel)

Cher Stéphane,

Merci, merci mille fois pour votre coup de fil. Vous ne pouvez pas savoir comme je suis soulagée. Et heureuse qui plus est. Nous nous sommes dit des choses dont il faudra sans doute reparler mais, pour l'instant, je ne veux penser qu'à ce soulagement partagé : nous ne sommes pas frère et sœur.

Je vous embrasse.

Hélène

Ashford, 10 février (courriel)

Ma chère Hélène,

Et lycée de Versailles, comme on disait quand j'étais étudiant. Moi aussi je suis heureux. Très.

Le reste, oui, il va bien falloir qu'on en parle. Et cette fois, nous pourrions éviter le mail, qui ne me semble pas la meilleure manière d'avoir cette conversation.

Quand et où ?

Je vous embrasse.

Stéphane

Paris, le 11 février 2008

Cher Stéphane,

D'autorité, je vous fixe rendez-vous samedi
à l'hôtel des Thermes de Saint-Malo, où deux
chambres nous attendent pour le week-end.
Comme vous le savez déjà, l'endroit est une
splendeur. Je lui fais confiance pour se montrer
hospitalier à notre égard.

Hélène

16 février (message SMS)

Ma chère Hélène,

Je suis rentré ici dans le souvenir de vous.
J'espère que vous ne regrettez rien.
Peut-être qu'il n'y aura pas de suite, peut-être que ce n'était qu'une parenthèse, peut-être ne pouvons-nous rien attendre de mieux. Mais c'était tellement... extraordinaire.
Je pense à vous.

Stéphane

Paris, 16 février (courriel)

Mon cher Stéphane,

Non, rien de rien, comme dit la chanson...

J'ai su, quand vous m'avez rendu visite à Paris, que ce moment finirait par arriver. Mais nous le savions tous les deux, n'est-ce pas ?

La pensée était là, logée dans un petit coin de ma tête. Elle ne m'a pas quittée. Même le jour de la mort de Sylvia. Je crois bien que c'est elle qui m'a donné la force de tenir bon.

Au fur et à mesure que j'apprenais à vous connaître, j'avais l'impression que vous faisiez partie de ma vie depuis toujours. Vous étiez un refuge, une respiration, un être qui avait traversé la solitude, comme moi, et qui en était revenu. Même si je devinais votre impatience, je n'avais pas de hâte à venir vers vous ; d'une certaine manière, nous étions déjà ensemble.

Je ne sais pas non plus ce que l'avenir nous réserve, Stéphane. Mais depuis ce matin où je vous ai vu arriver devant l'hôtel des Thermes, j'ai compris que je n'imaginais plus le temps sans vous, tandis que votre regard me disait la même chose. Puissions-nous être exaucés.

Hélène

II
LA LUMIÈRE

Frères humains qui après nous vivez
N'ayez les cœurs contre nous endurcis.

François Villon

9

Le ciel est dégagé, mais la lumière, rare, indique que la saison est en route vers l'équinoxe. On perçoit presque la fraîcheur qui entoure le talus à l'herbe chiche, le banc de pierre, le calvaire usé par les saisons, et l'ancienne chapelle, dont le perron est désormais envahi par des bosquets d'herbes et de ronces, d'où émerge un arceau rouillé. Une glycine épaisse en train de flétrir a achevé de coloniser un des murs, où ses branches entrelacées et conquérantes disputent le territoire à un lierre. Tous deux se sont ligués pour étouffer le pied de la croix qui orne le faîte de l'édifice. Devant la chapelle désaffectée, une femme est assise, jambes croisées, à l'extrémité gauche du banc de pierre.

Son visage s'est un peu arrondi, notamment au niveau des joues ; le corps a perdu de sa sécheresse anguleuse. Un chapeau de feutre noir et rond, un peu trop grand, couvre en partie les cheveux désormais mi-longs, toujours aussi fournis, retenus à l'arrière par une queue de cheval. La femme porte un chemisier blanc, dont l'encolure retient des lunettes à monture de métal rondes, glissées en sautoir, un gilet de laine épais et déformé. Un caban trop grand, sans doute celui d'un homme, est posé sur ses épaules, et ses manches retombent sur sa poitrine. Elle se tient un peu voûtée, en dedans d'elle-même, les jambes croisées, enveloppées d'une jupe ample, en laine, dont dépasse un fil, résultat d'un minuscule accroc. Les traces de boue sur les mocassins à talons plats, d'un modèle banal, témoignent de la marche qui vient de s'accomplir.

Le modèle ne regarde pas le photographe. Bien qu'elle soit tournée vers l'objectif, ses yeux sont ailleurs, abîmés dans une réflexion dont on ne peut deviner la teneur. La main qui porte l'alliance, paume appuyée contre le rebord de la pierre, tient une cigarette non allumée. L'autre effleure, distraite, la chaînette qui ceint le cou : le bout de l'index s'y est accroché, et cache en partie l'anneau qui y est attaché.

Est-ce la prise de vue trop frontale, la lumière austère, qui découpe les surfaces et durcit les traits ? L'herbe maigre et le vent qui harcèle ? La photographie, qui devait sans doute constituer le souvenir d'un moment partagé, dit tout le contraire : elle n'est que solitude. Une mélancolie sourde a pétrifié et aspiré le visage de Nathalie Hivert, pour ne laisser à sa surface qu'une enveloppe à la lourdeur de plâtre. Et son regard absent, retranché dans son erre invisible, est le symptôme poignant d'une détresse que plus rien ne saurait masquer ni éteindre. Cette fois, tous les efforts des sels d'argent, de la gélatine, des révélateurs et du papier sont inutiles. Malgré l'empreinte photonique qui lui fut dérobée un jour d'automne, cette femme, déjà, n'est plus là.

Ashford, 17 février (courriel)

Très chère Hélène,

Que faites-vous, que lisez-vous, que vivez-vous ?

Et si vous n'avez rien de prévu, vous viendriez à Genève avec moi le week-end prochain ? Comme je vous le disais au téléphone, Jean me fait réclamer avec insistance.

Je vous embrasse. Tendrement.

Stéphane

Paris, 17 février (courriel)

Cher Stéphane,

Il ose poser la question ! Je veux bien oui, comme dirait Molly Bloom, aller à Genève avec vous. Et nous pourrons nous arrêter pour voir Jean au retour, car j'ai désormais très envie de le connaître. Est-ce que l'infirmière vous a dit s'il s'était passé quelque chose ?

Je vous attends vendredi à l'appartement, dont vous connaissez maintenant le chemin. Attention, nouveau sésame : B220.

Je vous embrasse. Doucement.

Hélène

Ashford, 25 février (courriel)

Ma chère Hélène,

Comme il a été difficile de vous laisser, dimanche soir... Je suis jaloux de Bourbaki, qui a dû en profiter pour accaparer le deuxième oreiller (ce chat est snob).

Le week-end a passé comme un rêve : Philippe et Marie vous ont trouvée adorable. Et ils ont bien raison, car vous l'êtes. En revanche, je ne pense pas qu'ils aient vraiment cru à notre... « amitié » : étrange discrétion qui nous fait dissimuler nos relations, comme si nous avions peur d'y croire nous-mêmes.

Ici, mes arbres ont beau me faire les yeux doux, je n'ai plus que les vôtres en tête (les yeux, pas les arbres), et l'idée de cette mission de trois semaines à Hawaii me pèse à un point que vous n'imaginez même pas. Je pars dans quatre jours, avec l'envie de faire exactement le contraire, c'est-à-dire de prendre l'avion pour Paris et de vous rejoindre, au lieu de m'en aller aux antipodes. J'espère toutefois que vous aurez la bonté de ne pas m'oublier durant cette épreuve...

J'ai ouvert au retour l'enveloppe que m'a donnée l'infirmière de Jean ; j'aurais dû profiter de notre dernier soir pour le faire, mais je pensais à... autre chose, comme vous avez pu le constater, et j'ai plus ou moins décidé de laisser ce document où il était. Je regrette que l'on ne vous ait pas laissé voir mon parrain lors de notre passage. Mais il était trop agité pour se concentrer sur une conversation, très anxieux de me faire comprendre ce qu'il voulait me donner.

Son infirmière a fini par trouver l'objet dans ses affaires : un cahier épais, marron, de grand format, dans lequel il tenait son journal (je ne savais pas qu'il avait cette habitude). Le volume que j'ai entre les mains est celui des années 72-73. Mais je ne peux pas le lire, car il est entièrement écrit en russe... Bien que je connaisse mal les lettres cyrilliques, je pense reconnaître le nom de « Natacha », qui revient souvent. J'ai aussi trouvé, dans du papier cristal, une série de négatifs, mais je ne suis pas bien sûr de ce qu'ils représentent : un paysage de neige ? Je les ai donnés à développer lundi chez un vieux photographe de Londres, qui a réclamé une semifortune compte tenu de l'ancienneté du film, mais qui m'a promis un tirage pour dans trois jours.

Je vais donc recourir à nouveau aux services de Fedex pour vous envoyer ce cahier et les photos avant mon départ. Pensez-vous que vous arriveriez à le traduire ? Ou à le faire traduire ? Je suis presque sûr que la clef de notre énigme est entre ces pages.

Mais, pour l'instant, l'énigme que j'aimerais bien résoudre, c'est celle qui me permettrait de faire avancer les horloges. Vous me manquez, Hélène.

Je vous embrasse.

Stéphane

P. S. : J'ai enfin reçu la réponse du centre de rééducation de la rue Suzanne-Lilar, que j'avais contacté le mois dernier. Ils ont fait quelques recherches : en 1972, c'était une clinique de médecine générale.

Ashford, 27 février 2008

En hâte, avant de partir : le cahier de Jean. Pas pu récupérer les photos à temps pour vous les envoyer, je les prendrai sur le chemin de l'aéroport.

Je penserai à vous.

Mille baisers.

Stéphane

Paris, 1er mars (courriel)

Cher Stéphane,

Merci pour le long coup de fil du bout du monde : cette fois, c'est officiel, vous êtes ruiné. Je vous imagine maintenant en train de déguster un long drink sur la plage, au bord de l'eau turquoise, en compagnie de quelque charmante autochtone... Hum, des clichés, dites-vous ? Heureux homme, invité pour trois semaines dans un lieu paradisiaque, et qui a hâte de rentrer en Europe...

Bon, je vous taquine mais 1) je suis flattée, 2) moi aussi j'ai hâte que vous rentriez. Comme les enfants, j'ai commencé à barrer les jours du calendrier. À nos âges, tout de même...

Votre paquet Fedex est bien arrivé. Mille baisers, c'est un peu juste, mais je tâcherai de m'accommoder de cette maigre provision... Plaisanterie à part, j'ai commencé à parcourir le journal. Effectivement, il y est question de ma mère. Mais l'écriture cursive, à laquelle je ne suis pas habituée, me pose de nombreux problèmes de déchiffrement. J'ai mis quasiment une soirée pour transcrire les deux premières pages. Le russe utilisé est assez complexe, et je n'arrive à en comprendre qu'un mot sur trois. Vous me disiez que votre parrain parlait russe, mais vous êtes sûr qu'il n'est pas russe, en réalité, ou né dans une famille russophone ?

Pour l'instant, le début du cahier parle de travaux photographiques et d'un certain Friedrich, qui doit venir à Genève mais ne vient pas.

Les bords de la dernière page du cahier avaient été collés (volontairement) sur le rabat, pour former une poche. J'ai découpé doucement le bord avec un cutter. J'y ai trouvé cette photo de ma mère, que je vous scanne. Ni lieu ni date pour la légende.

Natalia a l'air d'avoir une trentaine d'années sur ce cliché, ce qui correspondrait à la date des entrées. Mais quelle tristesse sur son visage... Ce n'est plus vraiment la jeune fille pétillante de la chorale et du déjeuner. Elle a mauvaise mine. Comme elle parle deux fois d'une clinique dans son agenda, je me demande si elle n'était pas malade. Si cette histoire d'accident que l'on m'a racontée n'a pas été qu'un mensonge de plus pour couvrir les véritables raisons de sa mort. Une maladie « honteuse », comme on disait alors ? Ou alors la tuberculose, sur laquelle on gardait un secret absolu auprès des enfants ?

Je passerai voir dans la semaine Boris, un de mes profs aux Langues O', à qui j'ai envoyé un mail. Il est bilingue, et il accepte la traduction, moyennant finance. Il nous faudra attendre un peu, mais ce sera plus rapide que si je tentais de faire cela moi-même.

Avec un peu de chance, nous l'aurons pour votre retour.

Selon les règles de bonne tactique, sans doute devrais-je feindre un certain détachement, mais c'est peine perdue : vous me manquez terriblement.

Je vous embrasse, mon grand voyageur.

Hélène

P. S. : Et vous, de votre côté, avez-vous eu le temps de regarder les photos ?

Hawaii, 2 mars (courriel)

Aloha, ma chère !

Pendant qu'il doit faire gris à Paris, je me prélasse en plein soleil sur mon balcon du quarante-quatrième étage, en sirotant une mixture chimique tellement sucrée que mon taux de glycémie prend peur.

La vue est imprenable : le plus grand parking de l'île, je crois, avec, au fond, un bout de truc bleu qui ressemble vaguement à la mer. Le décalage avec l'Europe est dur à encaisser. Les cours commencent après-demain : cette après-midi, mon collègue américain et moi avons rendez-vous pour une visite guidée d'une partie de la ville, si j'ai bien compris.

Pas le temps de regarder les photos, restées dans le bagage de soute pendant le voyage. Je vous en dis plus à ce sujet dès que je peux. Sur celle que vous m'avez envoyée, la chapelle me dit quelque chose, je suis sûr d'être déjà passé à cet endroit. Mais quand ?

Sur ce, je vais m'accorder quelques heures de balade, en attendant l'heure du rendez-vous : je ferai des tonnes de photos pour vous, promis.

Baisers sous les palmes.

Stéphane

Paris, 3 mars (courriel)

Cher exilé,

Alors, cette promenade : quartiers pittoresques, flots bleus, végétaux exubérants ? Des photos, des détails !

Ici, il fait moche et gris, comme d'habitude à Paris. Aucun arbre merveilleux ne s'est mis à pousser au bord de la Seine, et je n'ai pas eu le temps de passer aux Langues O'. Il ne faut surtout pas que j'oublie d'aller voir le notaire de Sylvia, avec lequel j'ai pris rendez-vous pour la fin de la semaine. Je n'en ai aucune envie.

Vous me manquez.

Je vous embrasse et Bourbaki aussi.

Hélène

Hawaii, 4 mars (courriel)

Chère Hélène,

Excusez ce petit retard dans nos échanges épistolaires. Hier, je me suis endormi sur le mail que je voulais vous envoyer. Il faut dire que j'ai donné mon premier séminaire à l'université, et que mon corps, lui, n'est pas tellement d'accord pour changer de fuseau horaire aussi vite !

Cette prétendue destination de rêve est en réalité un bien curieux endroit. Foin des lagons azurs, ma chère : les cocotiers en plus, l'hôtel des Thermes en moins, je vous assure qu'on jurerait Saint-Malo... y compris pour la température de l'eau, brrr. Par moment, on frissonne sous un vent presque froid et, deux minutes plus tard, on grille sous un soleil qui transperce la peau. Preuve que la capacité de survie du biologiste réside dans la vitesse de son adaptation : je me suis dépêché de trouver le magasin qui commercialisait ces hideuses casquettes d'université à visière interminable dont sont affublés les étudiants. J'en ai acheté une pour vous aussi, elle fera fureur dans vos dîners parisiens.

En revanche, je suis émerveillé par la végétation. J'observe ici des spécimens que je n'avais vus jusqu'alors qu'en jardin botanique, ou en photo. Vous me direz que c'est un peu pour cette raison que j'ai parcouru onze mille kilomètres, mais il est étrange de pouvoir toucher ce qui n'était pour moi la plupart du temps qu'une image abstraite... J'attends avec impatience l'excursion prévue à Big Island, ce week-end : encore une heure d'avion, mais je crois que le spectacle en vaudra la peine. Préparez-vous à des soirées diaporamas à n'en plus finir, pour nos longues soirées d'hiver (auxquelles il m'arrive parfois de rêver, comme le vieil Anglais embourgeoisé que je suis, au fond).

Tendrement.

Stéphane

5 mars (message SMS)

Un baiser nocturne ici, diurne là-bas. Je pense à vous. Hélène

5 mars (message SMS)

Diurne ici, nocturne là-bas, votre image m'accompagne.

Stéphane

Paris, 6 mars (courriel)

Cher Stéphane,

Comme cela m'a fait plaisir d'entendre votre voix tôt ce matin ! Vous avez pu le constater, Bourbaki était content aussi, d'où ses miaulements enthousiastes (un souci d'objectivité scientifique m'oblige toutefois à vous préciser que ce chat n'avait pas encore pris son petit déjeuner...). Je suis très contente de savoir que le séjour se passe bien. Mais s'il se passait plus vite, je serais plus contente encore.

Hier soir, après le travail, je suis allée boire un café avec Boris, le lecteur de l'Inalco, pour lui confier une copie du cahier. Je lui ai demandé de ne traduire que les passages où il était question de deux personnes appelées Natalia et Pierre, sans lui dire bien sûr de quoi il retournait. Il m'a promis de m'appeler dans une dizaine de jours pour me dire où il en était. Après son départ, je suis restée en terrasse et j'ai fumé un cigarillo, dérogeant à toutes mes règles d'abstinence. Je me sentais oppressée, bizarre, un peu comme si, en montrant ces pages à une personne extérieure à notre histoire, j'avais lancé un boomerang et qu'il fallait maintenant m'attendre au choc en retour. Le froid m'a chassée, je suis rentrée. Sans doute est-ce la grisaille de cette fin d'hiver qui assombrit mon humeur. Ou l'absence de mon amant préféré, allez savoir.

Tendres, très tendres baisers.

H.

Honolulu, 7 mars (courriel)

Chère Hélène,

Votre amant préféré, comme vous dites (vous ne perdez rien pour attendre...), s'apprête à monter dans un vol de la Hawaii Airlines pour aller visiter les volcans de Big Island et vous rapporter au péril de sa vie (hum, j'exagère un peu) des photographies magnifiques.

Je plaisante, mais j'ai perçu de l'inquiétude dans votre dernier message. Je regrette de vous avoir laissé la charge de ces documents avant de partir. J'aurais dû attendre mon retour, pour être un peu moins loin de vous si jamais vous découvrez quelque chose qui vous chamboule. Nous avons déjà fait les frais de ce genre de situation... Mais, désormais, il faut se dire que nous sommes deux pour l'affronter.

Je pense que j'ai une petite idée de l'endroit où la dernière photo de votre mère a été prise. Je vous dirai tout ça à mon retour de l'île.

En attendant, je vous embrasse fort fort.

Stéphane

P. S. : J'ai beau me creuser la cervelle, pas moyen de trouver à qui appartenait le numéro de téléphone que j'ai repéré dans l'agenda. Et pourtant, je suis certain que je l'ai su par cœur, et même composé lorsque j'étais enfant. Ça m'énerve !

Paris, 9 mars (courriel)

Cher Stéphane,

Pas de nouvelles, bonnes nouvelles... Mais vu l'endroit de la planète où vous vous trouvez, je vous croirai sans peine si vous me dites que vous n'avez pas de réseau.

De mon côté, après-midi difficile. J'avais rendez-vous avec le notaire, chez qui je suis allée en sortant du travail. C'est un homme très affable, qui m'a reçue avec un stagiaire tout gauche et rougissant dans son petit costume. Mes parents avaient préparé leur succession de longue date, j'ai pu m'en rendre compte. Ils me laissent des affaires en ordre, aucune dette, l'appartement de la rue de l'Observatoire, un certain nombre d'obligations boursières qui me permettront de payer les droits de succession, et un studio en Bretagne. Me voici propriétaire à Paris à quarante ans. J'entendais la lecture de l'acte, j'imaginais Sylvia, ses petites lunettes sur le nez, réglant chaque item, méthodique, patiente, comme à son habitude.

Elle a simplement émis le souhait que, dans la mesure du possible, leur bibliothèque commune ne soit pas démantelée. Telle n'était de toute façon pas mon intention. Mais je vais essayer de trouver une solution pour la sortir de la rue de l'Observatoire. Trop difficile d'habiter là-bas sans eux, au milieu de leurs souvenirs... En tout cas, si vous avez besoin d'un pied-à-terre parisien, vous n'avez que l'embarras du choix, dorénavant.

Une fois la lecture de l'acte terminée, le notaire m'a dit qu'il restait quelque chose, qu'il avait conservé en dépôt. Il s'agit d'un coffret en cuir, confié par Sylvia trois ans auparavant, avec consigne de me le remettre après son décès. Le notaire n'en connaît pas le contenu, et l'a scellé avec un antivol et un petit cadenas dont il m'a donné la clef. Comme je n'avais rien pour le transporter, le stagiaire m'a passé un sac en plastique de la FNAC. Je suis rentrée en métro avec mon sac sur les genoux, me disant que les nôtres prenaient décidément des détours bizarres pour se rappeler à notre souvenir. Au moment où je vous parle, je n'ai pas pu me résoudre à ouvrir cette boîte, qui est restée sur le comptoir de la cuisine. Je commence à me méfier des surprises que nous ont réservées nos parents. Faites-moi signe quand vous pourrez.

Je pense à vous.

Hélène

Hawaii, 10 mars (courriel)

Très chère,

Bien rentré de Big Island, c'était une splendeur. Je suis épuisé. Vous récris très vite et vous embrasse fort.

Stéphane

Hawaii, 11 mars (courriel)

Ma chère Hélène,

Je trouve seulement le temps de vous écrire, entre les cours et la récupération de l'expédition sur la grande île (extraordinaire : des paysages à couper le souffle). Si vous êtes sage, je vous emmènerai ici un jour. Car malgré la vue sur le parking et les fruits pasteurisés sous plastique, je commence à trouver ce lieu de plus en plus intéressant. Sur le campus, tout à l'heure, j'ai ramassé une fleur d'hibiscus sur l'herbe, et je l'ai accrochée en pensée dans vos cheveux. L'espace d'un instant, j'ai senti votre présence à côté de moi, si réelle que j'en suis resté troublé.

Même si je comprends vos réticences, je brûle d'impatience de savoir ce que contient la boîte du notaire : il me semble qu'à votre place je ne pourrais pas me retenir d'y aller voir, comme un enfant qui met le doigt dans le pot de confiture. Je suis à peu près sûr que tout ce que nous avons essayé de comprendre, vous et moi, depuis presque un an, s'y trouve expliqué. Et c'est ce que nous espérions depuis le début, non ?

De mon côté, je vous avais dit que la photographie de votre mère me rappelait un décor familier. Je sais maintenant où elle a été prise : non loin de Besançon. J'allais me promener, enfant, près de cette petite chapelle, sur les épaules de mon père, ou bien avec ma grand-mère Séverine. Cette fois, il n'y a plus guère de doute sur le fait que nos parents se voyaient, alors même qu'ils étaient mariés tous les deux. Mais ce que je n'arrive pas à m'expliquer, c'est la présence de Natalia là-bas : j'imagine mal Pierre emmener son amie (son amante ?) sous le toit de sa propre mère... Ou alors ils se réfugiaient dans un hôtel des environs, clandestinement ? Mais pourquoi là plutôt qu'à Paris ou Genève ? Mystère.

Mon collègue m'attend pour le dîner : je donne ma langue au chat pour aujourd'hui, ma douce.

Tendres baisers.

Stéphane

Paris, 12 mars (courriel)

Cher Stéphane,

Vous avez raison. Bien sûr. Et au fond, moi aussi je veux savoir. Mais je remets lâchement l'inventaire à vendredi soir, quand j'aurai terminé ma semaine de travail, façon de me préparer à ce que je vais trouver.

Vous ne m'avez pas reparlé des photos que vous avez fait développer à Londres. Qu'y a-t-il dessus, finalement ?

Je vous embrasse, promeneur des lointains.

Hélène

Honolulu, le 12 mars (courriel)

Chère Hélène,

Rien de très intéressant : juste des paysages de neige. Je vous les montrerai à mon retour. Je vous embrasse.

Stéphane

10

La photo est un Polaroïd aux couleurs délavées. Les bords abîmés, cornés, et plusieurs rayures à sa surface indiquent que le carré de papier fort a dû être manipulé maintes fois. Sur le blanc du bord inférieur, d'une petite écriture féminine, serrée, dextrogyre, une inscription, « Marsoulan, 71 ». On y reconnaît le décor, avec sa tonnelle, son lierre et la mosaïque étrusque du linteau. La famille Zabvine est rassemblée autour d'une enfant, petite, assise sur les genoux de sa mère. La fillette porte une robe qui devait être rouge, mais que le vieillissement des couleurs a fanée en vieux rose. Ses jambes écartées et dodues laissent voir l'arrondi des langes dans lesquels elle est emmaillotée. Une de ses mains est tendue vers l'avant, serrant un objet inidentifiable (bâton de réglisse, jouet ?), l'autre, levée à la verticale, est doucement enserrée dans celle de sa mère, qui a dû tenter de l'immobiliser.

Le visage de l'enfant, un peu renversé, est tourné vers Natalia, qui sourit à l'objectif. Malgré le voile chromatique qui a terni l'image, on remarque les cheveux châtains, foncés chez la mère, plus clairs chez la petite, la forme du visage, identique, les yeux verts. Leur teinte est rehaussée par la robe de Natalia : un plissé délicat, d'un bleu originellement turquoise, suppose-t-on, brodé de fils versicolores et de perles dorées, dont le bas atteint, contre les prescriptions de la mode, la mi-cheville. La main libre de la jeune femme, qui, ainsi vêtue, a l'air plus russe que jamais, est glissée contre le ventre de la fillette et la soutient délicatement, répétant ainsi la figure intemporelle de cette entité organique hybride, toujours en voie de reformation : le corps des mères et de leurs filles.

Derrière elles se tient Daria, premier maillon des trois générations ; les mains jointes, imposante, mais intimidée par l'œil mécanique. Sur l'étoffe écrue de sa blouse brodée, la croix orthodoxe, bien visible, se détache. Le docteur Zabvine, lui, est en chemise blanche, cravate et veston ; par-dessus, il a gardé sa blouse de médecin – un moment de détente dans le jardin entre deux consultations. Sa barbiche et ses lunettes lui donnent un faux air de Sigmund Freud, jovialité en plus. Il ne touche pas Natalia, par une pudeur que l'on devine chez lui coutumière, mais coule un regard attendri vers elle et l'enfant, ravi de jouer les patriarches en son jardin.

La seule incongruité dans ce tableau, placé malgré lui sous le sceau d'un impeccable classicisme familial, vient du chat. Oleg a attrapé l'animal et le porte autour de son cou comme une étole de fourrure ; on voit la tête et les vibrisses dépasser de l'une de ses épaules, et les pattes postérieures, soutenues par la main du médecin, pendre en avant de l'autre. Le chat, cette parenthèse entropique, cette masse inoffensive et affectueuse, qui rappelle pourtant que tout équilibre n'existe que dans l'hypothèse de sa rupture.

Paris, 14 mars (courriel)

Cher Stéphane,

Heureuse de savoir que tout va bien. Il était tard pour vous, mais je n'ai pas résisté à l'envie d'entendre votre voix. Je regardais Paris, du haut de ma fenêtre, je vous imaginais là-bas, sous la pluie tiède que vous décriviez.

J'ai eu ce soir un coup de fil d'un tout autre genre, de Boris, le lecteur de russe, qui me dit qu'il en est aux deux tiers de la traduction. Au son de sa voix, j'ai eu l'impression que quelque chose clochait. Il m'a demandé à plusieurs reprises si je connaissais les gens dont il était question, s'ils étaient encore en vie... De toute façon, il veut me parler avant de me remettre le travail, il a même beaucoup insisté là-dessus : il passera donc lundi prochain.

Toujours pas trouvé le courage d'ouvrir la boîte. Pour faire diversion à ma propre lâcheté, j'ai décidé d'aller rue de l'Observatoire, vérifier que tout était en ordre. L'appartement m'apparaît maintenant désolé, ce qui n'était pas le cas lorsque Sylvia était hospitalisée. Plus la même absence... Je suis accablée par l'idée qu'il va falloir disposer maintenant de tous ces objets qui étaient à eux, en disperser une partie, en vendre une autre, et déménager tous ces mètres cubes de livres.

J'ai passé la soirée là-bas, finalement, assise par terre dans la bibliothèque. Parfois, lorsque j'ouvrais un ouvrage au hasard, je sentais encore les effluves du parfum de Sylvia, qui l'avait tenu entre ses mains. C'est elle qui m'a fait découvrir Vicky Baum, justement, et j'ai retrouvé la collection des éditions de poche des années 60, qu'elle me prêtait après les avoir lues, avec leurs pages un peu craquantes et leur odeur reconnaissable entre mille. J'ignorais qu'elle possédait une édition originale d'*Alcools*, d'Apollinaire, qui doit valoir une fortune aujourd'hui.

Plus surprenant, un exemplaire corné et annoté d'*Ada ou l'Ardeur*, dans lequel étaient restés des tickets de métro et une note de restaurant. J'ai du mal à imaginer Sylvia maltraitant un livre, et encore moins mon père lisant ce type de roman.

La Bible de Michel était serrée entre deux encyclopédies. Vu la couche de poussière, il n'avait pas dû l'ouvrir souvent ces dernières années. Une carte postale en noir et blanc, dont il s'était servi comme signet, était restée à l'intérieur. On y voit un ensemble de bâtiments, dont un avec un clocheton, posés au pied d'une montagne (« *Interlaken und die Jungfrau. 4 367 m* »).

La carte a été envoyée depuis Interlaken, le 17 juin 1970 :

« Mon cher Michel. Journées reposantes, paysages magnifiques. Maman m'a écrit que Léna est allée au zoo. Affectueusement. Nathalie. »

Je suis restée là, à tourner et retourner ce petit rectangle de carton, que la main de ma mère avait touché, caressant la belle écriture carrée du bout des doigts. Voici qui nous ramène à notre point de départ. Que faisait-elle là-bas, au su de son mari ?

Je vous embrasse tendrement.

Hélène

Hawaii, 15 mars (courriel)

Ma chère Hélène,

Je pense à la façon qu'ont les enfants de jouer aux devinettes : froid, tiède, tu brûles. Chez les grands que nous sommes, ce serait plutôt : froid, tiède, tu te brûles. La peur n'est pas forcément de la lâcheté, Hélène.

Nous avons tellement rêvé autour de la figure de nos parents, jeunes, beaux, leur prêtant une liaison somme toute très romantique... Il est tentant d'en rester là et de ne retenir que l'image idéale d'un couple sous une tonnelle. Sauf que, si nous fuyons le passé une nouvelle fois, j'ai peur que la facture des questions sans réponses ne nous soit présentée un jour ou l'autre, et avec les intérêts.

Si vous préférez, nous pouvons attendre mon retour. Mais peut-être succomberez-vous avant à la curiosité, ce qui en réalité me permettrait de satisfaire la mienne. Moi aussi je brûle, mais de savoir, je crois.

Je vous embrasse.

Stéphane

Paris, 16 mars (courriel)

Cher Stéphane,

J'ai ouvert la boîte. Dedans, j'ai trouvé une lettre, de Sylvia, qui en contenait une autre, cachetée, et deux albums en maroquin bleu.

Elles étaient là, les photos de ma mère que l'on ne m'a jamais laissé voir ; rangées, classées et légendées avec minutie, dans ce qui devait être la collection personnelle de Sylvia. Natalia et elle, petites, avec des nattes, puis adolescentes, à l'époque de Saint-Serge. Une photo à la terrasse d'un café, où ma mère lit Nabokov (tout s'explique...), une cigarette à la main. Un cliché où votre père la tient par le cou, dans la file d'attente d'un cinéma. Tous les deux sur la plage, où ma mère, avec son grand corps maigre, a des faux airs de Catherine Pozzi... Une photo du mariage avec Michel, aussi, en haut de l'escalier de Saint-Serge. Il était bel homme, mon père, durant sa jeunesse, avec son uniforme et sa casquette d'apparat, rayonnant ce jour-là – sa jeune épouse un peu moins. Et puis un Polaroïd de moi, de ma mère et de mes grands-parents. En une seconde, je me suis revue là, avec ce gros chat qui était presque aussi haut que moi, l'odeur de lavande et d'éther de mon grand-père quand il m'embrassait, et la robe bleue de ma mère, *galubaïa* : mon souvenir du mot venait de là.

Je n'ai pas eu envie d'aller plus loin pour le moment. Je recommençais à mal respirer, signe que cela suffit. Boris viendra demain, et il me faut encore lire cette longue lettre de Sylvia. Je me suis écroulée sans manger et j'ai dormi six heures de rang, ce qui ne m'était pas arrivé depuis des semaines. Je ne me suis relevée que pour vous écrire.

Tendres pensées.

Hélène

Hawaii, 16 mars (courriel)

Très chère Hélène,

Une part de moi regrette de ne pas être à vos côtés dans ce moment que je devine bouleversant ; une autre estime qu'il vaut sans doute mieux que ces retrouvailles se fassent dans l'intimité et la solitude. Comme il doit être difficile de devoir réapprendre toute cette grammaire de l'enfance qu'on vous a volée... La mienne a été incomplète, mais au moins j'en connais les figures et les étapes, et puis j'ai toujours eu les photos, aussi.

J'ai vraiment hâte de rentrer. Pour m'isoler, je me rends régulièrement au parc, et je mémorise ses cinquante-cinq espèces autochtones dont je connais maintenant par cœur chaque senteur, capiteuse ou fétide. Aussi loin soit-on, les routines continuent à fonctionner, les cours, les séminaires, les déjeuners. Et les nuits se succèdent, dans la solitude de ma chambre climatisée, pleines de nostalgie, d'émotion aussi, quand je pense à l'heure qu'il est à Paris.

Je pense à vous tout particulièrement ce soir.

Stéphane

Paris, 17 mars (courriel)

Cher Stéphane,

J'ai fait un cauchemar, tout à l'heure. J'étais en train de conduire une voiture, tout en étant consciente que je n'avais pas le permis, et vous étiez assis à la place du passager. Au bout d'un moment, la route commençait à fondre. Vous continuiez à plaisanter, mais je savais que nous allions mourir là, dans ce goudron qui nous asphyxiait. Je me suis réveillée en sueur.

Alors je me suis levée, je suis allée à la cuisine, j'ai allumé un cigarillo et j'ai ouvert la lettre de Sylvia.

J'ai tellement pleuré que les larmes coulent encore au moment où je vous écris. Comment vous dire... Nous avions vu juste, dans les grandes lignes, mais beaucoup de liens de causalité nous avaient échappé. Disons que nos parents ont eu une histoire logique, à défaut de mieux.

Le plus terrible, dans cette affaire, est de voir à quel point Sylvia et Michel se sont fourvoyés, obsédés par le désir de me protéger. Là-dessus, la lettre est comme un interrupteur dans une pièce obscure : tout, absolument tout, s'explique à la lumière de ce qu'elle relate. Mais comment ont-ils pu faire une chose aussi stupide ? Et pourtant, je n'arrive même pas à leur en vouloir.

Sans attendre votre retour, je vais vous scanner ces pages, qui vous concernent tout autant que moi, désormais, et que vous devez être impatient de lire. En revanche, je n'ai pas souhaité ouvrir l'autre lettre. Je ne sais comment elle est arrivée là, mais elle ne m'est pas destinée, et je ne la lirai pas.

Quand j'ai eu fini de lire, j'ai repassé dans ma tête le film de notre enquête, en regardant par la fenêtre, en contrebas, les feux arrière des voitures qui dansaient en silence dans la nuit parisienne. Je réalise qu'après nous avoir aspirés dans les anciennes ténèbres et les mystères des autres, tout à coup, le temps nous pousse, ensemble, vers l'avant, sans plus de répit. Et il nous broiera de la même manière quand notre tour sera venu. Stéphane, *dorogoï*, qui se souviendra un jour de nous ?

Mais, à cet instant, je me demande surtout ce que vous allez penser d'eux.

Hélène

Paris, le 16 juin 2004

Ma chère Hélène,

Lorsque tu liras ces mots, normalement, je ne serai plus de ce monde. Avant toute chose, je veux que tu saches à quel point ton père et moi t'avons aimée, et que tu n'en doutes jamais. Tu as été notre rayon de soleil, notre tendresse, et puis notre fierté. La vie m'a joué un sale tour en ne me donnant pas d'enfant, mais elle s'est rattrapée en me permettant d'être ta mère. Quand je regarde en arrière, quand je vois la personne que tu es devenue, si attachante, si généreuse, je me dis que nous avons fait beaucoup d'erreurs, mais qu'au moins nous avons réussi à t'entourer d'amour, autant que tu le méritais. Tu me connais, je ne crois pas à la vie éternelle : mais pourtant une petite part de moi espère que, de là où je serai après ma mort, je retrouverai ton père et que nous pourrons continuer à veiller sur toi.

Mon médecin m'a appris il y a maintenant deux semaines que j'étais atteinte de la maladie d'Alzheimer. Mais cela fait un petit moment que je m'en doutais : trop de trous de mémoire, de confusions. Je me suis documentée, et je sais ce qui va se passer : je vais oublier, d'abord le passé récent, puis le passé plus lointain. Il est possible qu'un jour je ne sois plus capable de te reconnaître. Bien sûr, j'espère que les poumons m'emporteront avant que j'en sois arrivée là, mais je dois désormais envisager toutes les conséquences pratiques de cette situation.

Il y a une chose que je veux faire avant de partir et tant que les souvenirs, ceux qui te concernent en tout cas, sont encore là. Une chose que j'aurais dû entreprendre bien avant, mais le courage m'a fait défaut. Et maintenant je ne sais plus comment t'en parler, car j'ai peur de te bouleverser ou de te rendre malheureuse. Mais je ne peux pas me résoudre à m'en aller avec ce secret, en te laissant en guise d'héritage des questions sans réponses.

Mon notaire te remettra cette lettre après mon décès. La solution est commode, trop, sans doute, mais te permettra au moins de choisir ton moment, de refermer ces pages si tu estimes que tu n'es pas encore prête à les lire. Je veux te parler de ta mère, Hélène, ta mère, Natalia Zabvine, qui est morte quand tu avais trois ans, et au sujet de laquelle nous t'avons caché une partie de la vérité. Tu trouveras dans cette boîte deux albums de photographies d'elle et de moi, ainsi que la dernière lettre envoyée par une personne qui lui était chère. Elle n'a jamais eu l'occasion de la lire. À toi de voir ce que tu souhaiteras en faire.

Aujourd'hui, j'ai honte quand je repense à toutes les fois où tu es venue, avec ta petite mine de chat, me poser des questions. Et où j'ai éludé, systématiquement. Mais comprends-moi : ton père ne voulait pas qu'on parle de ta mère, et j'avais peur de rouvrir des blessures qui avaient mis des années à cicatriser. Je te dis « comprends-moi » mais, dans le fond, tu es libre de ne pas comprendre, et même de m'en vouloir. Ce que nous avons fait en nous taisant si longtemps est mal, profondément répréhensible, et je n'en suis que trop consciente.

Ta mère Natalia (que nous appelions Natacha) et moi étions des amies d'enfance. Ses parents étaient arrivés de Russie à la fin de la guerre, car son père avait été enrôlé par les Allemands pour le service du travail obligatoire, et avait craint les représailles en cas de retour. À Saint-Pétersbourg, qui s'appelait encore Léningrad, avant la guerre, c'était un jeune médecin réputé et brillant, qui avait même publié un petit traité d'ophtalmologie pédiatrique. Après, c'était juste un expatrié misérable, comme tant d'autres Européens qui avaient tout perdu. Mais lui remerciait Dieu pour avoir eu la vie sauve.

Avec sa femme Daria, et leur fille, qui s'étaient réfugiées en Autriche à la fin de la guerre, et qu'il a réussi à faire venir en passant par l'Allemagne en 47, il s'est installé à Paris. Il a commencé par se faire embaucher dans une usine, pour pouvoir manger et faire manger les siens. Il a ensuite repassé une partie de ses diplômes à la faculté de médecine de Paris, l'Ordre lui ayant fait moult tracasseries, et n'a retrouvé le droit d'exercer qu'en 53. Il a alors ouvert un petit cabinet, où il exerçait surtout la médecine générale, d'abord rue Manin et, dès qu'il l'a pu, dans le

XII *arrondissement. Là-bas, il s'est rapidement reconstitué une patientèle, cette fois dans sa spécialité. Ce déménagement était symbolique pour lui : un nouveau départ, dans un quartier plus cossu, mais pas trop, où il n'était plus le petit ouvrier redevenu médecin, mais l'honorable docteur Zabvine, ophtalmologiste. Il s'occupait principalement des enfants. Ses petits patients l'adoraient, à cause de son humour et de son accent russe, et les mères raffolaient de sa courtoisie vieille Europe. C'était par ailleurs un homme très drôle, qui faisait sans arrêt des blagues à sa femme, comme remplacer la farine par du sucre glace, ou faire semblant d'ausculter le poulet avant de le découper. Il n'y avait guère que la religion avec laquelle il ne plaisantait pas.*

Natacha est donc arrivée en même temps que sa mère, un peu moins de deux ans après la fin de la guerre. Elle avait alors six ans, et ne parlait pas un mot de français. J'ai fait sa connaissance quelques années plus tard, en huitième, où elle était ma voisine de classe. Comme mes parents, qui avaient émigré avant la guerre, m'avaient appris le russe à la maison, nous avons très rapidement parlé ensemble dans cette langue et nous sommes devenues inséparables. Le nombre de fois où l'on nous a punies, tu n'imagines pas ! Les « Je ne dois pas bavarder en russe pendant la classe de mathématiques » *étaient notre lot quotidien. En plus, Natacha était encore pire qu'Oleg, dès qu'il y avait une bêtise à faire, elle la faisait. Une ou deux fois, nous nous sommes fait traiter de « Ruskofs »* ou de « métèques », mais, dans l'ensemble, j'ai gardé de très bons souvenirs de cette époque, car nous étions toute une bande d'enfants à dévaler comme des fous la rue de la Mouzaïa sur nos vieux vélos.

Ta mère adorait la musique, et avait une jolie voix. Son père se saignait aux quatre veines pour lui offrir des cours de solfège, donnés par un pianiste émigré encore plus pauvre que lui. Ta grand-mère, qui était devenue très pieuse après son exil, comme pas mal de réfugiés, a donc inscrit Natacha à la chorale de la paroisse Saint-Serge, dans le XIXe arrondissement. C'est là que ta mère a rencontré celui qui est devenu son meilleur ami. Il s'appelle, ou s'appelait, car j'ignore s'il est encore en vie, Jean Pamiat. Il était fils et petit-fils d'une famille de Russes blancs émigrés en 1917. Jean était un garçon incroyable, toujours vêtu comme un seigneur bien qu'il fût désargenté au possible. Il venait de rentrer du service militaire – il était plus âgé que nous – et travaillait aux Buttes-Chaumont, comme apprenti chez un photographe. Il faisait des imitations du recteur de Saint-Serge à se tordre de rire, car il n'était là que pour le plaisir de la musique. C'était une drôle d'époque, tu sais : certains d'entre nous ne possédaient pas grand-chose, ils portaient les vestes des costumes usés de leur père, des chaussures trouées, et ignoraient même ce que signifiait aller en vacances. Mais, en même temps, quand je repense à mon enfance, c'est vraiment le souvenir d'un paradis perdu qui me revient.

Natacha et moi sommes restées amies durant tout le lycée et avons préparé le bachot la même année, elle en philo, moi en maths-élém ; plus que jamais, nous étions inséparables. J'étais très coquette, toujours tirée à quatre épingles (tu me connais) ; elle, traînait toujours avec une manche de travers, un col qui rebiquait, les cheveux en bataille, à croire que son corps ne voulait pas laisser le dernier mot à un vêtement. Mais elle avait un charme fou. Et tous les garçons étaient à ses pieds, ce dont elle ne se rendait même pas compte. Parce que sa vraie passion, c'était la musique. J'aurais dû la jalouser, mais il était impossible de l'envier ou de lui en vouloir plus de trois secondes, tellement son humour – parfois féroce – et sa générosité étaient contagieuses. Elle faisait partie de ces gens qui naissent avec une espèce de lumière à l'intérieur d'eux et autour desquels on gravite, séduit, captivé.

Nous avons été reçues toutes les deux au bac avec mention, et j'ai eu ma première gueule de bois suite à la petite fête qu'Oleg et mon père, fiers comme Artaban, avaient organisée en notre honneur... La même année, les Zabvine ont déménagé, mais comme nous étions inscrites à la Sorbonne, Natacha en licence d'anglais, moi en histoire, nous avons continué à nous voir. Les livres coûtaient cher, alors, et nous arrondissions les fins de mois avec des « tapirs ». Notre luxe consistait à nous payer un numéro du Monde *tous les jours, dont nous détachions les pages pour les lire à tour de rôle. Les jours fastes, nous buvions un café-crème au bistrot en sortant* de Sainte-Geneviève, en nous racontant nos rêves d'avenir. Le mien était de devenir agrégée d'histoire, pendant que Natacha se voyait bien psychanalyste ou romancière. C'est ce qui nous différenciait des jeunes filles de notre âge, et qui faisait que nous nous entendions si bien, au fond : notre anticonformisme. Nous n'avions aucune envie de nous marier et de nous retrouver comme les sœurs de nos copines, mères de trois enfants à trente ans, coincées entre les courses, la vaisselle et la lessive. Les garçons n'appréciaient pas toujours...

Au milieu de la deuxième année, si mes souvenirs sont exacts, Natalia s'est mise à changer. Elle est devenue lunatique, distante, avec des accès de mélancolie qui ne lui ressemblaient pas. Je l'ai questionnée jusqu'à ce qu'elle finisse par m'avouer que Jean Pamiat lui avait présenté l'un de ses amis du régiment, un photographe, et que, depuis, elle pensait à lui sans arrêt. Elle en avait perdu le sommeil et l'appétit.

Et là, pensant être bien inspirée, j'ai fait ce que font les bonnes amies : je suis allée trouver Jean, et je l'ai pressé d'arranger un rendez-vous entre ce jeune homme, qui s'appelait Pierre, et ta mère. Cela a été, comme on dit, le coup de foudre, et ils se sont fiancés deux mois plus tard. J'ai rarement vu deux personnes dans une harmonie aussi saisissante que la leur. On aurait dit les deux visages d'un même être... Rien que les regarder marcher ensemble était émouvant, et il n'était pas rare que l'on se retourne sur le couple qu'ils formaient. Mais les Zabvine, eux, n'étaient pas ravis :

d'abord parce Pierre avait huit ans de plus que ta mère, ensuite parce qu'il n'avait pas de situation stable, comme on dit aujourd'hui, et qu'il vivait de commandes photographiques et d'embauches aléatoires. Oleg avait eu tant de mal à sortir sa famille d'une relative pauvreté qu'il répugnait à confier sa fille à un semi-artiste impécunieux. Mais surtout, ce que Daria ne pardonnait pas à Pierre, c'était son agnosticisme et son irrévérence pour toute forme de religion, qu'il tenait pour une insulte à l'intelligence humaine. Elle a surpris une ou deux moqueries voltairiennes qui ne lui ont pas plu.

Alors, au bout d'un an, tes grands-parents ont fait rompre les fiançailles. Une phrase comme celle-ci doit paraître absurde à une jeune femme de ta génération, mais elle ne l'était pas pour la nôtre, je t'assure. Nous étions mineures jusqu'à vingt et un ans, et il n'était pas question de se marier sans autorisation. En plus, Natacha n'avait pas d'argent, pas terminé ses études, et les Zabvine l'avaient menacée de lui couper les vivres, alors que Pierre tirait déjà le diable par la queue. À mon avis, mis devant le fait accompli, ils auraient reculé, mais bon... Le vrai problème, c'est que Natacha adorait ses parents, qui le lui rendaient bien, et qu'elle préférait avoir de la peine plutôt que de leur en faire. Alors elle a accepté, la mort dans l'âme, d'éconduire son fiancé. La pauvre, que de larmes elle a versées cette année-là ! Les pauvres, devrais-je dire, car Pierre aussi a terriblement souffert. Je sais qu'il l'a suppliée, est allé voir Oleg, aussi, mais rien n'a pu faire revenir tes grands-parents sur leur décision.

Après cela, Natacha n'a plus jamais retrouvé la joie de vivre que je lui connaissais : une part d'elle-même était devenue fermée, comme si elle avait vieilli de plusieurs années d'un coup. Elle plaisantait moins, mais pratiquait une ironie cruelle qui ne lui ressemblait pas. Pendant plusieurs années, elle a refusé d'entrer dans une salle de spectacle : elle ne pouvait plus supporter d'écouter une note sans Pierre, alors qu'ils étaient fous de musique. Il lui avait tout de même demandé de garder la bague de fiançailles, qu'elle portait désormais suspendue à son cou. Ensuite, lui a quitté Paris pour la Suisse. En l'apprenant, car bien sûr elle l'aimait toujours, Tacha a sombré dans une tristesse sans fond. Elle a terminé sa licence à grand-peine, et encore, parce que je l'ai harcelée pour qu'elle se présente aux examens. Elle a été reçue sans mention, avec des notes indignes d'elle, a passé son permis de conduire, puis cherché du travail. C'est à ce moment-là que nous nous sommes un peu perdues de vue.

Elle avait trouvé du travail chez un patient d'Oleg, un avocat, qui avait besoin d'une secrétaire parlant anglais. Elle habitait toujours chez ses parents, pas très loin du cours de Vincennes. Nous allions de temps en temps au cinéma, le soir, quand la préparation de l'agrégation me laissait du temps. Je l'ai vue une fois ou deux accompagnée d'un garçon plutôt gentil, qui s'appelait Vladimir ou Vassili, je ne sais plus trop, mais qui a disparu du paysage ensuite. Je crois qu'elle n'était pas guérie de son chagrin d'amour. Nous ne voyions plus Jean Pamiat, qui lui aussi était parti pour la Suisse, mais il nous écrivait. J'ai appris, par lui sans doute, que Pierre s'était marié deux ans après la rupture des fiançailles et qu'il avait un petit garçon. Je ne l'ai jamais dit à Natacha.

Elle-même était devenue assez secrète. Son avocat de patron avait fini par la demander en mariage, mais elle avait refusé, au grand dam de ses parents. Moi j'avais raté mon agrégation, hésité à m'inscrire pour un doctorat d'histoire, et, en attendant, j'avais trouvé un petit emploi à la Nationale. Finalement, j'y suis restée toute ma vie, et je crois que j'y ai été bien plus heureuse qu'à faire la classe à des lycéens. À ce moment-là, je ne voyais plus Natacha que tous les trois ou quatre mois ; j'avais rencontré un collègue, un magasinier, et nous avons fini par nous marier, en 1963. Ta mère et Jean ont été mes témoins.

Malheureusement, mon mari, qui s'appelait Jean lui aussi, est mort deux ans après, d'un pneumothorax mal soigné. J'étais effondrée, tu t'en doutes, ç'avait été si brutal... Sans Natacha, je crois que j'aurais pu faire une bêtise. Elle m'a soutenue, tenu compagnie, a même habité dans notre appartement pendant quelques mois, pour me forcer à manger et m'aider à surmonter mon deuil. Petit à petit, la vie a repris ses droits. Les années passaient, j'étais une jeune veuve. Natacha avait, comme on disait, coiffé Sainte-Catherine, ce qui pour l'époque n'était pas bon signe. Après avoir refusé la demande de l'avocat, elle avait changé d'emploi et travaillait chez un éditeur, où elle s'occupait de confectionner des cahiers d'exercices de grammaire anglaise. Son métier lui plaisait bien. Elle avait déménagé et habitait un petit studio près de Jussieu. Chaque année, nous prenions une semaine de vacances en Bretagne, dans une location : elle m'a confié, un été, que l'avenir lui faisait peur, et que ses parents la rendaient folle en lui répétant qu'elle allait finir vieille fille.

Quelques mois plus tard, elle m'a annoncé ses fiançailles avec un jeune médecin, Michel Hivert. Elle me l'a présenté une semaine après : c'était un Breton, timide, très intelligent, un peu ténébreux, qui terminait l'École de Santé des Armées. Il avait dû rencontrer les Zabvine par l'intermédiaire de quelque dîner entre confrères, pendant son stage d'internat au Val-de-Grâce. Le vieux praticien s'était pris d'affection pour ce jeune homme en qui il avait reconnu une espèce de fils spirituel. Le fait qu'il soit catholique pratiquant, à défaut d'être orthodoxe, avait plu à Daria, et je soupçonne les parents d'avoir arrangé les fiançailles. En tout cas, je voyais bien que l'affection de Natacha pour ce garçon n'avait rien à voir avec la passion qu'elle éprouvait pour Pierre. Michel, lui, était ébloui, et regardait Natacha, qui était aussi belle que cultivée, comme une sorte de demi-déesse. Je me rappelle de soirées entières, au café, où il n'ouvrait pas la bouche, se contentant de l'admirer, ce qui me mettait toujours on ne peut plus mal à l'aise.

Je ne devrais peut-être pas te dire cela, mais si Michel était amoureux, Natalia a fait ce que l'on appelle un mariage de raison, pour se ranger. Encore une fois, il faut considérer l'époque, qui rendait ces choses-là banales et présentait le célibat comme une malédiction pour les femmes. Parfois, ces unions un peu préméditées donnaient des couples qui s'estimaient et arrivaient à construire des vies conjugales solides. Je me suis toujours demandé ce qui se serait passé si mai 68 avait eu lieu quelques mois plus tôt, ou si Natacha avait pu épouser Pierre. Mais voilà, les événements ont suivi un autre cours, et c'est Michel Hivert qu'elle a épousé en février 68. Ils ont fait un tas de démarches afin d'obtenir les dispenses nécessaires pour se marier selon le rituel orthodoxe. Daria a sans doute vécu le plus beau moment de sa vie : les noces de sa fille à Saint-Serge. Jean Pamiat et moi étions témoins (il portait un costume de soie), les camarades de promotion de Michel étaient venus en grand uniforme, les chœurs étaient splendides. Et puis nous avons fait une fête à tout casser durant laquelle nous avons bu... comme des Russes, à rouler sous la table, même Daria s'y était mise en chantant Kalinka à pleins poumons. Tu aurais dû voir la tête du clan breton... Ton père a détruit les photos de son mariage, mais j'ai gardé la mienne, et je me rappelle très bien la pointe de mélancolie qu'on lisait dans le regard de Natacha. L'icône du bonheur était craquelée depuis le début, et le premier signe était là, sous nos yeux à tous. Mais nous n'avons rien voulu voir.

Hawaii, 17 mars (courriel)

Ma chère Hélène,

Je suis là, sur mon balcon à l'autre bout de la terre, et je regarde la photo du mariage de vos parents que j'ai affichée sur mon écran. Vous ressemblez tellement, tellement à votre mère... je me suis interrompu dans la lecture de la lettre, la gorge serrée. J'imagine la détresse de Pierre et Natacha, séparés, et je veux prendre un instant pour retrouver un lieu où ma pensée vous accompagne, revoir votre image, vos gestes quand vous versez l'eau du thé ou que vous cherchez vos lunettes à tâtons, votre façon de converser avec votre chat ou de passer votre main dans mes cheveux. Tout ce que je ressens de doux et d'intense quand je suis avec vous, à côté de vous, au plus près de vous. Parce que, nous, nous sommes en vie.

Et comme vous, je revois dans un vertige cette année d'enquête, qui est venue bousculer la routine de ma vie tranquille – trop, sans doute. Lors de notre premier échange, je m'imaginais, un peu présomptueux, que ma réponse n'était qu'un noble geste pour soulager les angoisses et les questions d'une correspondante inconnue. Trois lettres plus tard, je n'en étais déjà plus là. Le malaise que vous décriviez dans votre lutte avec ce passé silencieux était, mot pour mot, le mien.

Je tenais, avec nos recherches, l'occasion de comprendre ce qui peut fracturer la vie d'un homme, mon père, de donner un sens à cette extinction de sa personne dont nous avons été les témoins impuissants. De saison en saison, et surtout au fil des albums, je découvrais Pierre, l'énergie qu'il avait mise à fixer sur la pellicule la lumière poignante des espaces vides. Je devinais que ces images étaient pour lui des représentations d'aspirations intimes, et que même au-delà de son malheur conjugal, il avait dû plus d'une fois se laisser aller à la passion exigeante de la solitude. Je comprends maintenant que la rupture de 59 était certainement l'une des sources de cette souffrance, qu'il n'a jamais exprimée autrement que par des photographies.

Vous me demandez qui va se souvenir de nous. Je vous dirais volontiers que c'est d'abord à nous de nous en soucier. De recréer un présent qui nous appartiendra, et que ne nous disputeront pas les morts. Nous sommes poussés en avant, c'est vrai. Mais d'un même mouvement, cette fois.

Stéphane

11

Les flocons collants ont recouvert le sol et ont tout enveloppé, terre, arbres, allées, d'une couche moelleuse uniformément blanche. Aucun pas n'a encore troublé la surface vierge, et, s'il le faisait, il produirait un son craquant et sourd, caractéristique de la neige fraîche qu'on foule. De la silhouette des ifs, sapins et mélèzes ne reste qu'une tunique boursouflée, qui pèse de tout son poids sur leurs branches éprouvées. C'est l'un de ces matins de soleil pâle de janvier, dans le froid extrême qui mord les doigts, le visage, et grimpe le long des jambes. Un de ces matins où l'hiver a givré en orfèvre la moindre excroissance, pierre, grille, branche, et où la neige a recouvert le désordre du monde de ses fragiles cathédrales moléculaires.

Quelques oiseaux transis exceptés, les animaux ont abandonné le lieu, trop désordonné pour être une clairière ou un champ, trop dégagé pour abriter êtres ou habitations.

Il faut un moment avant de comprendre à quoi correspondent les différents éléments verticaux, un peu flous, qui en hérissent la surface. L'opérateur, qui a échoué à produire une image nette, s'est arrêté sur une large excroissance de neige, d'un mètre cinquante sur trois. La couche neigeuse recouvre un tumulus rectangulaire aux contours irréguliers, dont elle a évasé doucement les bords. Ce n'est qu'en deux endroits que l'unité de la nappe blanchâtre s'est brisée. D'un côté, elle est percée par une tige proéminente, fantôme d'un bouquet absent sous la neige : goutte de sang d'une rose gelée. À l'autre extrémité se dresse la ligne reconnaissable d'une croix à trois branches, dont la plus basse, oblique, déroge aux ordonnancements perpendiculaires qui dessinent à l'accoutumée la géométrie des cimetières.

Lettre de Sylvia (2)

Peu de temps après, ton père, qui avait terminé ses études, a reçu sa première affectation. Lui et Natacha se sont installés à Brest, où il était en garnison. Elle m'écrivait de temps à autre et m'envoyait des cartes postales. Elle avait l'air de s'ennuyer pas mal durant les absences de Michel, c'est-à-dire la plupart du temps. Il avait refusé qu'elle travaille, par principe, d'autant qu'elle était tombée enceinte tout de suite. Mais il lui avait acheté un piano, à tempérament, pour qu'elle puisse s'occuper. Elle passait des journées entières, me disait-elle, à déchiffrer et jouer des valses de Chopin.

Tu es née prématurée, à sept mois et demi, après un accouchement difficile, et nous avons tous craint pour ta vie... Tu es restée hospitalisée quatre mois, pendant que Natacha se remettait difficilement d'une embolie pulmonaire, puis vous avez fini par vous requinquer toutes les deux. Ta grand-mère s'était rendue auprès de toi sur-le-champ et priait pour vous du matin au soir, tout en s'occupant de toi avec un amour débordant. Il est vrai que vous l'aviez échappé

235

belle. Elle s'était mise en tête de te faire baptiser Hélène Sirioja Hivert – le diminutif masculin de Serge, qu'elle voulait essayer de faire passer pour un prénom féminin ! Mais l'état-civil comme le prêtre catholique ont refusé de l'enregistrer, et je pense que Michel n'a pas dû se bagarrer très fort là-dessus.

Ta mère m'a demandé d'être ta marraine, ce que j'ai accepté avec enthousiasme : tu trouveras le faire-part avec le reste des documents.

D'après les lettres de Tacha, à partir de ce moment-là, les choses se sont mises à aller mieux. Elle semblait heureuse : elle t'adorait, tu étais sa Léna, sa Lénotchka, sa petite princesse. Dès que tu as eu neuf mois, elle a commencé à venir à Paris avec toi, pendant les absences de Michel, qui avait différé autant que possible sa reprise des missions à l'étranger. Pour tes grands-parents, tu étais quelque chose comme la hui-tième merveille du monde... Oleg et Daria avaient décidé de t'apprendre le russe, que ta mère te parlait déjà quand son mari n'était pas là. Ta grand-mère a même tenté une fois de t'emmener aux vêpres de Saint-Serge, mais il paraît que tu as fait tellement de bruit qu'elle n'a pas récidivé !

Je t'ai vue plusieurs fois, car je passais souvent rue Marsoulan : tu étais mignonne comme tout, toujours en train de gazouiller et d'essayer d'attirer l'attention du chat, un gros matou que l'on enfermait, tous les soirs, de peur qu'il ne t'étouffe en se couchant sur ton ventre. Quand tu as eu un an, pour ton anniversaire, je t'ai offert un jeu en bois, avec des animaux peints, dont je te répétais le nom en russe. Je crois que le mot « kot » est le premier que tu aies jamais prononcé quand tu as commencé à parler.

Je suis allée te voir à Brest, aussi, où tes parents m'avaient invitée une fois, pour Noël. L'appartement était sinistre, et la ville, qui avait été reconstruite, assez triste elle aussi. Michel et Natalia – qu'il appelait « Nathalie » – s'entendaient bien, mais j'avais toujours une impression de malaise en les regardant tous les deux. Natacha, qui était si volubile d'ordinaire, avait toujours un sourire distrait, plaqué sur le visage, quand son mari était dans la pièce. Cette gentillesse un peu absente était sa défense contre tout et trahissait une certaine détresse intérieure. Je crois qu'elle n'aimait pas beaucoup sa belle-famille, qui le lui rendait bien : des Bretons traditionnalistes qui n'avaient pas digéré le mariage avec « la Russe ». À Brest, ta mère jouait beaucoup de piano, de mieux en mieux, et avait quelques amies, des femmes d'officiers. Mais les relations restaient distantes : avec son joyeux désordre, ses Craven A fumées à la chaîne, son peu de goût pour les discussions sur les nourrissons, et un féminisme de plus en plus affirmé, elle tranchait. Trop fort.

À ce moment-là, elle ne travaillait plus. La seule trace de sa vie antérieure, la musique exceptée, était sa passion pour la lecture, qui était restée dévorante. Je l'ai vue résister à tes pleurs pour finir un chapitre. Elle lisait même, m'a-t-elle dit, en faisant chauffer tes biberons ! Une fois, pendant mon séjour chez vous, je l'ai surprise, la nuit, endormie sur le divan avec un livre, alors que Michel était rentré de mission. Le lendemain matin, elle y était encore. Je pense que ce genre de situation n'était pas anecdotique.

En septembre 70, je me rappelle très bien, j'ai reçu une lettre de Natacha qui me disait qu'elle voulait me voir, vite. Elle est venue à Paris, sans toi, et je l'ai rencontrée dans un café près de l'Odéon. Elle m'a expliqué qu'elle avait revu Pierre, son fiancé de 59, par hasard, pendant des vacances en Suisse, et qu'elle avait une liaison avec lui. Et là, Hélène, j'ai fait une chose dont j'ai honte, encore aujourd'hui : je lui ai fait la morale. Et avec véhémence, en plus. Je lui ai dit qu'elle avait perdu l'esprit, qu'elle devait le quitter tout de suite, penser à sa famille, penser à toi. Je l'ai traitée de fille indigne, de mère dénaturée, et je ne sais plus quelle bêtise encore. Tu comprends, moi, je n'avais plus de mari, Jean et moi n'avions pas eu le temps d'avoir d'enfant, j'étais seule, assez malheureuse et sans doute un peu aigrie. Finalement, emportée par la colère, j'ai fini par la traiter de soumaschedchaïa, folle, inconsciente. Je crois qu'elle ne s'attendait pas à cette réaction. Elle est devenue toute pâle, a rassemblé ses affaires, payé son café, et elle est partie. C'est la dernière fois que je l'ai vue en vie.

Cette scène est repassée dans ma tête des centaines de fois, ensuite. Je donnerais n'importe quoi pour qu'elle n'ait pas eu lieu, mais elle a eu lieu, et je ne peux rien y changer. L'année suivante, Natacha m'a envoyé une carte depuis Saint-Malo, et une autre pour le nouvel an. J'étais tellement gênée au souvenir de ma réaction, et tellement arc-boutée sur mes principes, aussi, que je n'ai pas su quoi lui répondre. Alors je n'ai pas répondu... Et puis, un peu plus de deux ans après notre dernière discussion, un soir, en septembre, elle m'a appelée à mon travail, depuis un café. Elle m'a dit que quelque chose de grave s'était passé et qu'elle prenait le train pour se rendre chez Jean, à Genève. Elle avait l'air bouleversée, je crois même qu'elle pleurait. Elle m'a demandé de veiller sur toi au cas où quelque chose arriverait, et puis elle a raccroché en disant qu'elle rappellerait.

Quelques jours après, j'ai reçu une lettre de Michel Hivert, qui contenait un pli à lui transmettre. Je ne sais pas comment, il avait deviné que je savais où elle était ; peut-être l'avait-il simplement supposé. J'ai transmis, et demandé des nouvelles, en même temps. Mais Natacha ne rappelait toujours pas. Alors j'ai réussi, avec bien du mal, à dénicher le numéro de téléphone de Jean – tu sais, internet n'existait pas à cette époque –, et j'ai passé un coup de fil depuis la poste pour avoir des nouvelles ; pas très longtemps parce que les communications internationales étaient hors de prix. Jean m'a dit que Natacha avait quitté son mari et qu'elle n'allait pas très bien, mais qu'il veillait sur elle. J'ai bien senti qu'ils me cachaient quelque chose. Ils ne me faisaient plus confiance, et je l'avais bien cherché, en un sens.

Le 18 novembre, Jean m'a envoyé un télégramme pour me dire de venir tout de suite dans le Jura, à Pontarlier, et d'emmener les Zabvine avec moi. Ta mère avait eu un accident de voiture. Mais quand nous sommes arrivés, après une journée de route sous la pluie et la neige, c'était trop tard. Tacha avait été grièvement blessée à la tête, avait un poumon perforé, et elle est morte sans avoir repris conscience. Je t'ai toujours dit qu'elle avait été incinérée, mais ce n'est pas vrai : elle a d'abord été inhumée au cimetière de Pontarlier, parce qu'il faisait un temps affreux et que les routes étaient impraticables. Et puis, quatre mois après, son corps a été transféré au cimetière de Thiais, à la demande expresse des Zabvine. Elle repose au carré orthodoxe, tu pourras aller te recueillir sur sa tombe, si tu le souhaites. Tes grands-parents y sont enterrés aussi.

À Pontarlier, nous étions tous là. Tous, sauf ton père, qui était parti en opération dans une zone reculée de la Nouvelle-Calédonie. Il a été prévenu, mais trop tard pour prendre l'avion à temps, et il est arrivé vingt-quatre heures après les obsèques. Il ne se l'est jamais pardonné, entre bien d'autres hantises.

L'enquête de la gendarmerie a conclu à un accident. Les routes étaient verglacées, il y avait du brouillard, Natacha conduisait la voiture de Jean, à laquelle elle ne devait pas être habituée. Je ne sais pas ce qu'elle faisait à cet endroit, ni où elle allait, mais c'était un accident, je t'assure, un malheureux accident. Il n'y a pas de doute à avoir là-dessus.

Au retour, j'ai voulu te voir, et j'ai pris le train pour Brest, mais ton père ne m'a pas laissée entrer. Il était très abattu, en colère aussi. Je crois qu'il avait découvert la liaison et pensait que j'en avais été complice. Je me suis dit qu'il était sous le choc, qu'il fallait lui laisser un peu de temps, et que je reviendrais.

Mais quand j'ai voulu reprendre contact, dans les premiers jours de 73, il avait déménagé sans laisser d'adresse. J'ai tout essayé pour vous retrouver, sans résultat. Tes grands-parents eux aussi étaient sans nouvelles, et en étaient désespérés. Ils s'inquiétaient pour toi et voulaient te voir à tout prix. Ton grand-père a fini par se résoudre à embaucher un détective privé, ce qui lui paraissait sordide et immoral, mais il est mort d'une crise cardiaque deux mois plus tard, et le détective, qui avait reçu son acompte, a disparu dans la nature. Mes propres recherches sont restées vaines, comme si vous vous étiez volatilisés. Puis, par hasard, trois ans après, dans une salle d'attente, j'ai intercepté une conversation : une dame qui évoquait son fils militaire blessé aux yeux et opéré par le « docteur Hivert ». Il ne pouvait s'agir que de ton père. J'ai demandé son adresse, j'ai téléphoné à sa consultation au Val-de-Grâce, et il a accepté de me parler. C'est comme ça que j'ai pu te revoir, au bout de quelques jours.

Que tu avais grandi ! Tu avais six ans et, quand je t'ai vue entrer dans la pièce, les larmes me sont venues aux yeux. On aurait dit Tacha en miniature. Tu avais (et tu as toujours) exactement le même sourire, les *mêmes cheveux indisciplinés, avec ton nœud en velours que tu portais de travers, le même regard... Tu as hérité de sa beauté, tu sais. Mais, sur le moment, ce qui m'a surtout frappée, c'est ta tristesse. Tu ne souriais jamais, et tu regardais le monde avec tes grands yeux clairs, en silence. Toi, tu ne m'avais pas reconnue, bien sûr, et je n'ai même pas osé t'embrasser, de peur de t'effrayer. Ton père m'a expliqué que tu avais cessé de parler depuis plusieurs mois, à la maison et à l'école, et qu'il avait dû faire intervenir des confrères psychiatres pour t'éviter un placement dans une institution spécialisée, car on commençait à parler d'autisme. En réalité, tu n'étais rentrée à Paris que depuis quelques semaines : Michel t'avait d'abord confiée à ses parents, tes grands-parents paternels, donc. Il t'avait reprise pour t'emmener à Marseille, où il s'était fait muter, puis en Polynésie, pour une mission de longue durée. Mais tu as attrapé là-bas une espèce de grippe assez grave qui s'appelle la dengue, et tu as mis beaucoup de temps à t'en remettre. Il t'a alors ramenée en France et t'a confiée à l'une de ses sœurs, qui habitait près du Mans, en attendant d'obtenir une nouvelle affectation en métropole. C'est à ce moment-là que tu as cessé de parler.*

Je crois que tu avais vécu trop de bouleversements et que ce silence était ta manière de dire que tu en avais assez. À Paris, ton père t'élevait seul, un peu aidé par son autre sœur, Madeleine, mais il avait un travail très accaparant, des missions, et il perdait patience devant ton mutisme. Et s'il a accepté que tu passes du temps avec moi, c'est parce qu'il aurait accepté n'importe quoi pour que tu ailles mieux. Il m'a même dit qu'il était d'accord pour que tu revoies ta grand-mère, mais il ignorait que Daria était morte l'année précédente d'un cancer.

J'ai pu alors m'occuper un peu de toi, t'emmener au zoo de Vincennes, à la patinoire, au cinéma. Tu étais une enfant charmante, sage comme une image ; tu regardais tout, avec de grands yeux. Mais tu ne réclamais rien et tu ne disais rien.

J'ai vite repéré, malgré tout, que tu aimais certaines choses plus que d'autres : le métro aérien (tu collais tes deux mains sur la vitre), la Grande Galerie de l'Évolution, le chocolat chaud, le piano, dont je jouais avec tes petites mains d'écureuil posées sur les miennes. Parfois, chez moi, le dimanche, bien que tu fusses déjà grande, tu t'endormais dans mes bras en suçant ton pouce, et je te câlinais en te chantant les comptines russes que ta mère avait l'habitude de te chanter. Tu avais terriblement besoin d'affection, et moi je m'attachais à toi à chaque jour qui passait.

Un soir, dans le métro, émerveillée par les lumières hivernales sur la Seine, tu as pris ma manche, et tu m'as dit « Sylvia ». C'était le premier mot que je t'entendais prononcer depuis ton retour, et je t'ai serrée si fort dans mes bras que tu as gigoté pour que je te lâche. Ensuite, comme tu avais perdu l'habitude du son de ta voix, tu étais surexcitée, et tu hurlais sans t'en rendre compte dans les couloirs du métro « Syl-via, Syl-via » pendant que je faisais mine de t'applaudir, hilare. Les gens nous regardaient comme si nous étions folles. Mais quand tu as redit « pa-pa » pour la première fois à Michel, lui s'est détourné pour masquer son émotion. Ton silence, c'était son cauchemar.

À partir de là, ton père s'est un peu détendu. Il m'a invitée à dîner chez vous, avec toi. Puis il nous a accompagnées au zoo. Et de fil en aiguille, nous avons fait de plus en plus de choses tous les trois, notamment aller au concert, car tu adorais la musique et tu pouvais rester des heures sans bouger de ta chaise à écouter Chopin. Petit à petit, tu t'apprivoisais. Pour ton septième anniversaire, je t'ai offert, avec l'accord de Michel, un chaton, celui qui est devenu notre grosse Chacha. C'est la première fois que je t'ai vue vraiment rire, en découvrant ce cadeau qui avait l'air de t'enchanter. Quand je t'ai demandé comment tu voulais l'appeler, tu as dit sans réfléchir « Kochka ». Michel a serré les lèvres, contrarié, et il t'a dit qu'un nom français serait plus joli. Tu ne l'as plus répété devant lui, mais je sais que tu as continué d'appeler ton chat comme tu voulais. Tu n'étais toujours pas très loquace avec nous, mais je t'entendais parfois tenir à cet animal de longs discours dans ta chambre, dans une langue incompréhensible que tu avais forgée. J'ai pensé que tu allais mieux. Et au fil des semaines, tu t'es remise à nous parler.

Deux ans plus tard, en 1978, Michel m'a demandée en mariage. Cela te paraît sans doute étrange que j'aie pu épouser le mari de ma meilleure amie, et lui la meilleure amie de sa femme défunte. Mais ton père et moi avions beaucoup d'affinités : malgré sa formation militaire, c'était un érudit, un de ces médecins à l'ancienne, féru de botanique et de poésie, et moi je travaillais dans les livres. Nous aimions tous les deux la musique, le calme. Et puis, surtout, nous t'aimions toi. Un soir où il avait bu trop de whisky, et où le passé devait lui peser plus lourd que d'habitude, Michel m'a avoué qu'il avait chassé ta mère de la maison plusieurs semaines avant son accident. À cette époque, il était croyant, fou amoureux d'elle, et il avait mal, très mal réagi en apprenant sa liaison. Rien de très différent de ce que j'avais fait en mon temps... Tu ne peux imaginer à quel point il se sentait coupable pour cela. Il n'en parlait jamais, mais ses cauchemars le trahissaient : il se réveillait en sueur, haletant, et partait ensuite marcher la nuit dans Paris. Je ne le revoyais qu'à l'heure du petit déjeuner, étreinte à chaque fois par l'angoisse qu'il ne revienne pas.

Je sais que tu as parfois eu l'impression qu'il était distant, ou colérique à ton égard. Et tu as raison. Mais ce n'était pas sa faute : tu lui rappelais tellement Natacha qu'il avait du mal ne serait-ce qu'à te prendre dans ses bras ou te regarder. Et puis il se sentait honteux par rapport à toi, responsable de l'accident qui t'avait privée de ta mère (et il avait bien tort, à mon avis). Ta seule présence était, sans que tu le veuilles, un reproche muet de ce qu'il tenait pour la pire de ses actions. Et, certains jours, il n'arrivait pas à y faire face.

De mon côté, j'avais en tête les dernières paroles de Natacha, que j'avais rejetée au moment où elle aurait eu besoin qu'on l'aide à y voir clair. Elle m'avait chargée de veiller sur toi, et toi tu étais aujourd'hui à moitié orpheline. Plus égoïstement, la solitude me pesait, les années passaient, l'horloge biologique, comme on dit aujourd'hui, tournait. J'avais envie d'un foyer où rentrer le soir, d'un compagnon, et que tu sois ma petite fille. Alors j'ai accepté le mariage, à une condition : pouvoir t'adopter légalement. Cela a été chose faite l'année suivante. Michel, de son côté, a posé deux préalables : que nous ne parlions jamais de ta mère, et que je ne m'adresse jamais à toi en russe. Et j'ai respecté, moi aussi, ma part du contrat. Tu dois nous trouver monstrueux et calculateurs, et sans doute notre propre culpabilité nous a-t-elle poussés vers cette espérance vaine, l'oubli comme remède à la souffrance. Mais je peux t'assurer que nous pensions, sincèrement, que ce serait la meilleure solution pour toi. Et quand j'ai commencé à me dire le contraire, une dizaine d'années après, il était trop tard pour faire machine arrière, à moins d'accepter que tu nous méprises ou que tu nous rejettes. Là, nous n'étions pas prêts à prendre ce risque.

La suite, tu la connais : c'était notre existence, à tous les trois. Je crois qu'elle n'a pas été si malheureuse. Ton père a continué à avoir des accès de colère, et il n'a jamais trouvé la paix relativement au décès de Natacha. Mais *bon, il avait « refait sa vie », comme on dit, et mis un couvercle étanche sur le passé. Il avait pris beaucoup de distance avec ses parents, des bigots fanatiques, qui de toute façon n'ont jamais pris la peine de s'intéresser à toi. Lui-même avait laissé tomber toute forme de religion. Mais chaque 18 novembre, il allait fleurir la tombe de Natacha à Thiais, et je l'accompagnais. Je t'y ai emmenée une après-midi, au printemps, à son insu, quand tu avais sept ans. Je ne pouvais pas te dire pourquoi. Mais je voulais qu'au moins une fois vous soyez proches l'une de l'autre... Lors de ma dernière visite avec Michel, déjà malade, nous avons croisé dans l'allée un vieil homme, grand, mais affaibli, s'en revenant appuyé au bras d'un plus jeune, qui lui ressemblait comme deux gouttes d'eau à son âge. C'était Pierre Crüsten. Il ne m'a pas reconnue. Rends-toi compte : trente ans après...*

Pendant tout ce temps, les années s'étaient écoulées, paisibles, même si tu avais des accès de mélancolie et que tu faisais souvent des cauchemars d'accident. Tu étais notre fille, une enfant adorable, et tu n'as jamais cessé de l'être, y compris quand tu t'es teint les cheveux en vert à quinze ans, que ta chambre empestait les cigarettes clandestines et que tu nous traitais de vieux droitistes réacs (je te cite !) parce que nous t'empêchions d'aller au cinéma les soirs de semaine. Et tu es devenue, au bout du compte, la belle personne que tu es aujourd'hui.

En 1973, j'avais reçu une carte de Jean Pamiat, qui avait fini par quitter son journal pour monter un petit studio de photo publicitaire à Lausanne. Tout semblait aller à peu près bien pour lui, et nous nous sommes revus, durant les années qui ont suivi, à trois ou quatre reprises, quand il passait par Paris. Mais le fantôme de Natacha pesait entre nous, et les rencontres se sont arrêtées quand je vous ai retrouvés, Michel et toi. Cette rupture tacite a aussi représenté une manière de trancher le dernier lien, et de te protéger de ce passé.

Mais voilà. Pour tes quinze ans, tu as réclamé avec insistance un appareil photo en guise de cadeau d'anniversaire : nous avons voulu croire qu'il ne s'agissait que d'une lubie d'adolescente. Avant d'admettre, vu le temps que tu passais dans la chambre de bonne à les développer, que c'était ta passion. Puis tu nous as annoncé que tu faisais ton mémoire de maîtrise sur les albums de famille dans la littérature, et je me suis dit que nous étions en train de voir la première lézarde apparaître dans notre mur de silence. Et quand tu as commencé à prendre tes cours de russe, il y a sept ans, Michel et moi avons compris que cette paix était trompeuse, et que tu n'avais jamais cessé de t'interroger sur l'origine de ta vie, cette part manquante. Ce qui nous impressionnait, c'était l'instinct infaillible avec lequel tu revenais sur tes traces, dont nous avions pourtant effacé tous les indices matériels... Ce permis de conduire que tu n'arrivais pas à passer, comme si tu avais peur de reproduire le destin de ta mère, en était le signe le plus flagrant. Et je voyais réapparaître la tristesse que nous avions tellement voulu éloigner de toi. Tu m'as confié bien des années après que l'idée d'avoir des enfants te terrorisait, et que tu venais de quitter Hervé, qui en voulait un à tout prix, pour cette raison. J'ai alors compris l'ampleur et la gravité de notre erreur. Et j'étais presque décidée à tout te révéler... Mais ton père est tombé malade sur ces entrefaites. Et là, il a fallu parer au plus pressé.

Je ne sais pas si tout ce que je t'ai écrit t'aidera à y voir clair. Mais, au fond, je te fais confiance. Comme Natacha, tu es attirée par la lumière, et nous, nous t'avons installée au milieu des ombres. Même si je m'y prends bien tard, je voudrais que tu puisses les dissiper, trouver la force de ne jamais leur céder. J'ignore ce que tu penseras de nous maintenant que tu connais la vérité. Il est possible que tu nous haïsses de t'avoir imposé ces mensonges, et je le comprendrais. Mais je sais aussi, privilège de la vieillesse, que la haine est un poison qui se retourne toujours contre celui qui l'éprouve, Michel en a fait l'amère expérience. Même si tu n'as pas, tout de suite, de pardon disponible, garde à notre mémoire à tous les trois, celle de ta mère, ton père et la mienne, une petite place dans ton cœur. Et surtout essaye de ne jamais oublier que tout ce que nous avons fait, même mal (surtout mal), l'a été par amour pour toi, solnytchko.

Sois heureuse, ma chère Hélène.

Je t'embrasse et te serre fort contre mon cœur.

Sylvia Hivert

Hawaii, 17 mars (courriel)

Chère Hélène,

La première chose que j'ai pensée, à l'issue de cette lecture, a été que la femme qui vous a élevée était une personne exceptionnelle. Des erreurs, des maladresses, je vous le concède. Mais que d'amour dans ces silences-là, dans ces efforts dérisoires dont elle avait compris elle-même la vanité ! Le simple fait qu'elle ait eu le courage de vous écrire cette lettre est une marque d'affection extraordinaire.

Je lui dois beaucoup, moi aussi, par ricochet. Comment aurais-je su, sinon ? Lire l'histoire de mon père, celle que j'ignorais, m'a bouleversé, mais aussi, d'une certaine manière, rassuré. J'ai toujours eu la certitude, même si j'étais bien en peine de l'expliquer, qu'il existait en lui deux personnalités différentes. J'ai retrouvé dans ce récit l'autre visage, effleuré, que Philippe et moi n'avons plus jamais revu : celui d'un homme libre, voyageur, passionné par son art, amoureux, celui du portait de 1970. Il y a quelque chose de cruel à penser que nous, sa famille, représentions l'envers de cette vie-là, mais que faire sinon l'accepter, maintenant ?

Après la disparition de Natacha, il a dû porter son deuil et, pire, le porter sans pouvoir le dire, ce qui est abominable. Je comprends mieux pourquoi il nous fuyait de la sorte, pourquoi la présence des autres lui était à ce point insupportable. Il devait chercher à s'isoler avec son chagrin, la seule chose qui lui restait d'elle, en définitive.

C'est votre mère qu'il est allé voir au cimetière de Thiais, j'en suis certain. Et j'ai croisé vos parents, ce jour-là, bien que je ne me le rappelle pas... À l'heure où Pierre et moi avons repris la route pour Genève, vous deviez être en train de les attendre quelque part. Nos destins, le vôtre et le mien, auraient si facilement pu continuer à s'ignorer, ma chère Hélène. Cette pensée rétrospective m'est presque insupportable.

Je suis avec vous, plus que jamais.

Stéphane

Paris, 18 mars (courriel)

Cher Stéphane

De mon côté, après avoir tellement eu envie de savoir, cherché, interrogé, scruté les albums, je suis submergée par un sentiment de vide. Ce n'était donc que cela ? Suffit-il de la dizaine de pages d'une lettre pour résumer une vie ? De cent dix photos dans un album pour annuler une censure trentenaire ? Dorénavant, je ne saurai rien de plus sur Natalia Zabvine, à moins que le journal de Jean ne nous apporte quelque révélation. Mais, à ce stade, je ne vois pas trop ce qu'il pourrait nous apprendre que nous ne sachions déjà. Je me sens désemparée, ce soir. Il n'y a guère que votre pensée pour éclairer ces eaux troubles.

Hélène

Hawaii, 18 mars (courriel)

Hélène,

Dans trois jours, je serai là. Et si vous venez en Angleterre, dans quatre, nous serons ensemble.

Stéphane

Paris, 19 mars (courriel)

Je serai à Heathrow. Je vous attendrai.

H.

Paris, 19 mars (courriel)

Je reprends le clavier car en rentrant du musée, ce soir, j'ai reçu la visite de Boris, le lecteur de russe. Il venait me rapporter la traduction. Nous avons bu un café dans la cuisine. Il ne cessait de se tortiller sur son tabouret, et m'a redemandé si je connaissais les gens dont il s'agissait dans ce journal. Quand je lui ai dit, comme à Vera, « *ia dotch Natali Zabvin* », il est devenu tout pâle : « Alors il ne faut pas lire. » Il me dit que ce journal relate des événements tristes qui ne gagneront pas à être connus ; je l'ai rassuré en lui disant que nous en avions déjà découvert l'essentiel. J'ai gardé Boris à dîner et, la liasse de feuilles à quelques dizaines de centimètres de nous, sur le comptoir, nous avons eu une longue conversation autour du rôle des secrets. J'ai tenté de lui expliquer la souffrance qui nous avait conduits, vous et moi, à reconstituer le récit des événements confisqués. Boris, qui a eu un grand-père compromis dans une obscure affaire de délation politique, me dit que, dans bien des cas, au contraire de ce que l'on pense, savoir est plus cruel qu'imaginer. Il m'a dit : « Tu sais, après, tu ne pourras plus te sortir cela de la tête. » En partant, il a proposé avec insistance de me rendre mon chèque et de reprendre la traduction et le journal, pour les « mettre à l'abri de mes yeux ». J'ai refusé l'un et l'autre.

Cela étant, je ne suis pas sûre d'avoir envie de lire ces pages. De toute façon, il est trop tard, tous les témoins sont morts ou presque. Natacha a déjà commencé à se dissoudre dans l'oubli. Et s'il n'y avait eu ces vieilles photographies dispersées, arrachées *in extremis* à la destruction et à la dispersion, qui se serait souvenu de son visage, à part Vera et Jean ? Je suis entre deux eaux : une part de moi veut clore l'enquête, l'autre n'est pas encore prête à rendre ma mère à l'amnésie du monde.

J'hérite en attendant du souvenir d'une robe turquoise, et d'une adresse dans un cimetière. Comme bagage mémoriel, d'une certaine façon, c'est mieux que je n'en ai eu durant les trente-cinq dernières années. Mais c'est bien mince pour affronter le temps qui reste.

Je vous embrasse.

Hélène

Genève, le 25 mars 2008

Chère Hélène,

Comme je sais par Stéphane que vous êtes en train de reconstituer l'histoire de nos parents, je prends la liberté de vous écrire directement.

Je vous envoie une photographie que Marie et moi avons retrouvée ce week-end à Interlaken, au chalet. Mon père l'avait laissée là-bas, au milieu d'autres archives photographiques. N'ayant pas retrouvé le négatif, je l'ai contre-typée, agrandie, et j'en ai fait un tirage pour vous.

Vous êtes, Hélène, le vivant portrait de votre mère. Comme Stéphane ressemble beaucoup à papa, j'ai d'abord eu l'impression que ce n'était pas eux, mais vous deux sur la photo. Avouez qu'il y a de quoi s'y tromper !

Je ne sais pas ce que mon frère, à qui j'ai aussi envoyé la photo, en pensera. De vous à moi, la mémoire de papa est un sujet très sensible sur lequel nous ne sommes pas toujours d'accord. Contrairement à Stéphane, j'ai eu avec mes parents des rapports houleux jusqu'au bout.

Mais cette photo ne m'indigne pas, et ne me blesse pas non plus : d'une certaine manière, je suis rassuré de savoir que mon père aura été, parfois, vivant de son vivant. Les dix années passées m'auront du moins appris à cesser de haïr, et à faire preuve d'un peu d'indulgence pour ceux qui furent les miens, malgré tout.

Marie vous salue bien.

Très amicalement à vous.

Philippe Crüsten

12

Il est debout, elle est assise.

Ils sont exacts.

Aucun déséquilibre ne naît de la dissymétrie.

Elle se tient bien droite dans son fauteuil à accoudoirs de bambou. Elle porte de fins souliers à bride, qui laissent le cou-de-pied largement découvert, lacis léger des veines qui ondulent sous la peau. Ses jambes sont croisées, faisant ressortir le plissage élégant de la longue jupe, dont le feston vient caresser le haut des chevilles. Le chemisier clair, à manches courtes et à large encolure, dévoile le début du creux tendre des salières et les avant-bras nus ; le droit porte un bracelet d'argent à deux torons en forme de serpents enlacés. La tête est un peu penchée sur le côté : pommettes plus saillantes que jamais, creux des joues ombré, bouche fermée au sourire de Joconde. Les cheveux courts auréolent le visage de leur masse crépue.

Restent les yeux, légèrement plissés, distillant l'évidence du regard. On peut y lire le calme, ou bien la détermination, ou bien la certitude tranquille d'être aimée. On peut aussi y lire les trois à la fois.

Lui a posé sa main gauche, portant alliance, sur son épaule à elle. Les longs doigts pâles touchent l'étoffe du chemisier, sur lequel ils reposent bien à plat, un peu écartés, sans possessivité, sans fausse pudeur non plus. Sans doute à cette seconde la chaleur de leurs peaux respectives a-t-elle déjà transcendé la barrière de coton léger, obstacle des plus temporaires à leur désir. Sans doute le prochain geste consistera-t-il à replier la main pour effleurer du dos des phalanges le cou de Natacha, avec le même frisson de plénitude qu'on éprouve en caressant le pelage d'un animal. Il regarde droit devant, lui aussi. Ni esquive, ni moue, ni ironie. Il est présent à la photographie, présent au moment, présent au monde, qui se résume, à cet instant, à la femme assise à quelques centimètres de lui. L'expression intense des yeux, éminemment clairs, le dessin des petites rides qui en accrochent le coin sont à relire à l'aune de l'exultation totale qui a pris possession de son corps.

Pour qui ne connaîtrait pas ces deux êtres, ils sont une incarnation possible de la confiance amoureuse ou de l'équilibre conjugal. Ils ont arrêté le temps, l'ont concentré tout entier dans la jonction d'une main et d'une épaule. Ils ont accepté la promesse de l'*ensemble*. Leurs beautés ne s'excluent pas, mais s'additionnent : on suit du regard les lignes respectives des corps qui s'appellent, se condensent, s'harmonisent, comme celles d'un portrait peint. Dans l'éternité tranquille de la Jungfrau, qui a déployé en leur honneur la ligne dentellière de ses arêtes et la candeur de ses neiges d'été, Natalia et Pierre ont concédé à la mémoire la trace d'un instant parfait, leur instant : celui où l'on congédie la dépouille de deux entités distinctes pour accepter d'en devenir, enfin, la somme.

Paris, le 28 mars 2008

Cher Stéphane,

Je suppose que plus jamais de ma vie je n'aurai l'occasion de commettre un oubli aussi freudien que celui de cette traduction à Paris... Je préfère penser que ce geste était le bon, parce qu'il nous a offert quatre jours de lumineuse douceur, après cette trop longue absence.

Retour au principe de réalité : voilà la photocopie. Je dois t'avouer que je n'ai pas encore lu l'original.

Je pense fort à toi, en attendant ta venue à Paris. Tu n'auras pas besoin d'aller dormir au Jardin secret cette fois, si tu tolères d'être réveillé tôt le matin par un matou affamé. Voire, un peu avant lui, par sa propriétaire.

Baisers très tendres.

Hélène

Journal de Jean Pamiat (1972-1973)

14 octobre

Natacha est enceinte de Pierre. Elle l'a avoué à son mari. Il a fait ses calculs, et il a tout de suite compris que l'enfant n'était pas de lui. Ils se sont disputés, il l'a frappée, et l'a chassée de chez eux, en lui disant qu'il ne voulait plus jamais la revoir. Elle n'a même pas eu le droit d'embrasser sa fille. Elle est arrivée ici hier soir, sans bagages, après une journée de voyage, sous le choc. Le pire est que Pierre n'a pas mieux pris les choses : elle lui a téléphoné au studio pour le lui dire, et il a raccroché en entendant la nouvelle. Depuis, il ne répond plus. Elle lui a envoyé un télégramme pour lui faire savoir qu'elle serait ici en arrivant à la gare, mais il ne s'est pas manifesté. Je suis abasourdi (il dit qu'il est fâché mais qu'il n'arrive pas à le croire) par sa réaction. Demain, nous irons au studio, et j'espère qu'il acceptera au moins de lui parler. En attendant, je vais essayer de la faire manger et dormir un peu.

15 octobre

La visite au studio a été terrible. Je suis resté sur le pas de la porte pendant qu'ils discutaient. Au bout de cinq minutes, Pierre a commencé à crier. « Il n'en est pas question ! Comment tu as pu faire ça ? » Ensuite, le ton est redescendu, et je ne sais ce qu'ils se sont dit. Mais quand Natacha est sortie, elle était blême. Il est mort de peur, m'a-t-elle raconté ensuite dans la voiture ; il craint par-dessus tout qu'Anna ne l'apprenne. Il ne veut pas entendre parler de divorce et lui demande de retourner chez son mari. Pendant qu'elle me parlait, sa voix se remplissait d'amertume. Je ne l'avais jamais vue aussi désabusée (très triste). Elle a l'air d'avoir vieilli de dix ans depuis le dernier été à Interlaken, et pourtant c'était il y a quelques semaines à peine.

16 octobre

J'ai essayé encore une fois de voir Pierre, au studio, mais il n'a pas ouvert. Pourtant, il était à l'intérieur, j'ai entendu du bruit. J'ai glissé sous la porte une longue lettre que Natacha lui a écrite cette nuit. Mais est-ce qu'il va la lire ?

24 octobre

Michel Hivert a fait constater que sa femme avait abandonné la maison conjugale et il demande le divorce. La lettre est arrivée ici ce matin : Natacha avait donné mon adresse à Sylvia Makhno, qui a transmis. Elle est affolée à l'idée que ses parents l'apprennent et veut leur dissimuler la situation. « Ça les tuerait. » Effectivement, j'imagine mal le docteur Zabvine prendre les choses avec philosophie, et encore moins Daria, qui était toujours fourrée à Saint-Serge quand ils habitaient le quartier. Toujours aucune nouvelle de Pierre.

26 octobre

J'ai accompagné Natacha chez l'avocat : elle veut revoir Léna à tout prix. Maître Niemetz est assez pessimiste. Il lui dit que son mari, vu le contexte et le départ, aura la garde de la petite enfant et qu'elle va devoir être très patiente pour arriver à la revoir. Il a tout de même écrit une lettre à Michel Hivert, pour lui proposer une réconciliation (conciliation ?) *et un retour au domicile conjugal. Natacha n'a rien dit dans le bureau, mais sitôt dehors, elle a eu une crise d'asthme, qu'il a fallu plus d'une demi-heure pour calmer. Elle est rentrée et s'est endormie tout de suite (j'ai l'impression qu'elle prend du Véronal* [? = Веронал ?])

Elle ne mange plus, comme presque tous les soirs depuis une semaine : elle dit que ce sont les nausées, mais je crois que c'est plutôt le désespoir. Pierre a téléphoné ce soir, pendant qu'elle dormait. Mais il n'a pas voulu lui parler. Il m'a juste dit : « Dis-lui que je ne peux pas. » Il ne peut pas quoi ? Prendre ses responsabilités ? Abandonner ses fils ? Affronter le clan Krüger ? Quand j'ai raccroché, j'étais plein de tristesse à l'idée de la trahison dont il me demandait d'être le messager.

7 novembre

Michel Hivert a fait rejeter la demande de réconciliation. Ça fait vingt-deux jours que Natacha n'a pas vu Léna. Quand je lui ai demandé hier ce qu'elle allait faire, elle m'a répondu d'une voix blanche : « Crever (mourir comme un animal). *Ça les arrangerait tous, n'est-ce pas ? » Je ne sais plus quoi faire. Alors j'ai fouillé dans son sac pendant qu'elle dormait et confisqué le Véronal.*

9 novembre

Hier, j'ai emmené Natacha chez Séverine Crüsten, à Besançon. Je ne voyais plus qu'elle pour nous aider. Elle nous a accueillis dans la cuisine, et nous a fait un café malgré l'heure tardive. Natalia, effondrée, lui a tout raconté. En apprenant la situation, Séverine est entrée dans une grande rage. Je pense qu'elle n'était pas en colère contre nous (je crois qu'elle avait deviné depuis longtemps la reprise de la liaison de Tacha avec son fils et qu'elle l'approuvait en secret) mais contre Pierre, parce qu'il abandonnait une femme enceinte de lui et chassée de chez elle. Elle est partie pour lui téléphoner à Genève, à minuit ; je ne sais pas ce qu'ils se sont dit mais, très vite, ils se sont disputés. « Peter a raccroché », nous a dit Séverine en redescendant. Ensuite, elle m'a demandé de sortir, parce qu'elle voulait parler seule à seule avec Natacha. Leur discussion a duré une partie de la nuit.

Le lendemain, nous nous sommes retrouvés au petit déjeuner. Natacha avait les yeux tout rouges, mais elle avait l'air plus calme. Même si les gestes de Séverine sont un peu brusques, elle la traite avec beaucoup de gentillesse, comme les petits chats malades qu'elle ramasse dans la campagne ; il est vrai qu'elle l'a toujours bien aimée. Après le déjeuner, elle nous a laissés seuls, disant qu'elle avait des choses à faire. Natacha m'a résumé leur conversation : Séverine lui a demandé si elle souhaitait garder l'enfant. Elle lui dit qu'elle l'aidera, quoi qu'elle choisisse, mais qu'il faut se décider vite.

Pauvre Natacha... elle ne sait plus quoi faire. Dans le fond de son cœur, je crois qu'elle voudrait bien garder son bébé. Elle aime éperdument Pierre, et je suis sûr qu'elle rêve d'élever un fils ou une fille qui lui ressemblerait. Mais elle a peur : pas de travail, le divorce qui vient, ses parents à qui elle ne veut pas faire de chagrin... Le rejet de Pierre n'a rien arrangé : là-dessus, elle est lucide, elle a compris qu'il ne l'aiderait plus. Mais, surtout, ce qui lui fait peur – elle en fait des cauchemars la nuit – c'est de ne plus jamais revoir Hélène. Alors elle espère que, peut-être, si elle abandonne Pierre et qu'elle revient en disant qu'elle a fait une fausse couche, son mari acceptera qu'elle vive avec eux, à nouveau. La pauvre... elle a bien tort d'espérer, à mon avis. Lui, c'est un catholique, borné, il préfère être malheureux plutôt que de lui laisser une nouvelle chance. En attendant, pour Natacha, l'alternative est atroce. Elle répète sans arrêt : « Et Léna, que va devenir Léna ? » Puis elle s'enfonce, prostrée, dans des silences interminables. À sa place, je deviendrais fou.

Lorsque Séverine est rentrée, nous avons décidé que j'irais à Genève pour tenter de parlementer une dernière fois avec Pierre, et que je téléphonerais le résultat de ma conversation. Pendant ce temps, Natacha restera à Besançon. Alors que je partais, Séverine m'a confié sur le pas de la porte qu'elle était allée « voir une vieille amie », puis passer des coups de fil depuis la cabine téléphonique d'un village voisin. Elle fait très attention, au cas où. Elle a trouvé une place dans une clinique de Lausanne, chère vu l'urgence, mais n'a pas assez de liquide pour la payer, sans compter que Natacha n'a plus un sou ni aucun moyen de récupérer son livret bancaire.

J'ai dit à S. de ne pas s'inquiéter, que je rapporterais l'argent à mon retour et que nous paierions ce qu'il fallait. « Tu dois penser que je suis un monstre », m'a-t-elle dit, la voix fatiguée... Ses yeux, qui en avaient pourtant vu d'autres, étaient remplis de tristesse. Je crois qu'elle aimerait bien que Tacha ait ce bébé, son petit-fils ou sa petite-fille, et qu'elle se moque des convenances ou du qu'en-dira-t-on (des opinions des autres gens), comme elle s'en est moqué toute sa vie. Mais elle ne se fait aucune illusion sur la capacité de tolérance de la société. Mai 68 ou pas, Natacha sera toujours une divorcée enceinte. Et Séverine ne donne pas cher de l'équilibre d'une femme que l'on empêcherait de revoir sa petite fille. Quant à moi, je ne peux rien faire. Juste empêcher Natacha de mourir d'une infection (сепсис), ce qui risque d'arriver si elle va avorter au fond d'une cuisine. Je ne devrais pas écrire tout ça dans ce journal, c'est trop dangereux. Mais c'est tellement dur en ce moment. J'ai besoin de me confier, ne serait-ce qu'à un cahier. J'espère que le russe le protégera des regards trop curieux.

11 novembre

J'ai enfin pu parler à Pierre, qui a accepté d'ouvrir la porte après le vacarme que j'ai fait sur son palier. Lui-même est dans un triste état : pas coiffé, pas rasé, les yeux cernés. Apparemment, il dort au studio depuis *un moment. Il me dit que revoir Natacha est au-dessus de ses forces, qu'il l'aime, mais ne peut rien pour elle : Anna, les enfants... il se sent comme emprisonné et ne partira pas. J'ai essayé de lui dire que la situation était bien pire pour elle, qui n'avait plus rien, plus de maison, d'argent, même pas la possibilité de revoir Léna, mais il répétait : « Je ne peux pas, je ne peux pas... » Lorsque je lui ai expliqué que Natacha envisageait d'avorter, il n'a pas fait de commentaire.*

Cette incroyable soumission, alors qu'il aime Natacha de tout son cœur, fait peine à voir : je sais bien que son couple n'est qu'un mariage de résignation. D'un autre côté, j'imagine qu'il doit lui aussi prendre peur à l'idée de perdre les garçons, et sa respectabilité sur la place de Genève. Bien sûr, la bataille avec la toute-puissante belle-famille serait rude, mais comment est-ce qu'il pourra se regarder dans une glace après cela, comment pourra-t-il continuer à jouer les époux et les pères modèles ? Qu'il veuille l'enfant ou qu'il n'en veuille pas, il ne peut pas se détourner de Natalia de la sorte, pas en ce moment. J'ai essayé de lui faire comprendre qu'il regretterait toute sa vie cet abandon, mais il s'est assis à la fenêtre, m'a tourné le dos et n'a plus dit un mot.

12 novembre

Je n'ai pas eu le courage d'appeler et j'ai repris directement la route pour Besançon. Pendant tout le trajet, je cherchais les mots avec lesquels j'allais dire tout cela à Natacha. Mais quand je suis arrivé, elle dormait déjà. Séverine me dit qu'elle est de plus en plus démoralisée. Elle ne sort plus que quelques heures par jour, pour des promenades à la petite chapelle, où nous l'accompagnons parfois.

Bien que l'été de la Saint-Martin ait brusquement fait place à l'hiver, nous sommes allés fumer une cigarette sur la terrasse après le dîner. Séverine avait l'air fatiguée, elle qui est toujours si énergique. Elle m'a fait une réflexion — je ne sais d'ailleurs pas si c'est à moi qu'elle parlait, ou à elle-même : « Tu vois, Jean, tu mets des enfants au monde, tu te bats pour eux, tu essayes de les rendre courageux, tu comptes sur eux. Et tu constates, en définitive, que ces hommes dont tu as tenté de faire des êtres droits sont exactement comme nous. Toujours en train de trouver mille et une bonnes raisons de ne pas affronter le désordre qu'ils ont semé. » Moi je regardais la fumée qu'elle expirait par les narines, deux petites volutes qui tourbillonnaient dans l'air froid. Je songeais à l'étrangeté de la situation, la mère, la maîtresse et le meilleur ami, et l'image de Pierre en train de s'éloigner de nous, comme si nous découvrions un autre homme à la place de celui que nous connaissions. Et, à quelques mètres de là, une toute petite flamme de vie dans le ventre de Natacha : serions-nous ses fées, ses Parques ? J'ai dit à Séverine que Pierre était sans doute terrorisé, qu'il lui faudrait du temps pour accepter les choses. « Le temps, c'est ce

qui nous manque à tous, mon cher », m'a-t-elle dit en
écrasant son mégot d'un geste précis dans le cendrier.

13 novembre

J'ai parlé à Natacha ce matin. Elle a encaissé, en
silence. Juste le regard, en l'espace d'une seconde, plein
de surprise, de douleur, immobile. Elle a finalement
décidé d'avorter. Séverine a repassé des coups de fil et
lui a obtenu un rendez-vous pour dans quatre jours.
Nous nous sommes débrouillés pour réunir l'argent en
liquide. Tout devrait bien se passer. Et je l'accompa-
gnerai à Lausanne. Depuis que la décision est prise,
nous sommes tous soulagés. J'ai téléphoné au journal
pour dire que j'étais malade et que je ne pourrais pas
travailler jusqu'à samedi prochain. Heureusement,
Kreyder me devait un service et a accepté de me couvrir
sur les dossiers urgents.

Moi aussi j'ai hâte que tout cela se termine. Voir
Natacha dans cet état, c'est dur. Je ne sais pas quoi
penser de la réaction de Pierre : une partie de moi
comprend sa peur, mais je ne peux pas approuver cette
manière affreuse de fuir sa responsabilité. Je le prenais
pour un artiste égaré dans un milieu qui n'était pas
le sien, il se conduit en bourgeois terrorisé par la peur
du scandale. Pourtant, c'est lui qui, pour m'éviter un
tabassage en règle, s'était fait fracturer deux côtes et
ouvrir l'arcade sourcilière, un soir, à Castelnaudary,

quand quelques demeurés du régiment avaient décidé de casser du pédé (il emploie des mots plus grossiers) à la barre de fer. Ce courage-là, qu'est-il devenu ? Parfois, j'aimerais que rien de tout ceci ne soit arrivé, que la vie redevienne comme avant, comme l'été 70 à Interlaken. Mais cette insouciance ne nous sera pas rendue.

17 novembre

Crise de migraine affreuse cette nuit, vomissements incontrôlables, me suis évanoui. Morphine. Ai dû laisser Natacha partir seule. Attendons le coup de fil.

18 novembre

1 h 00. Aucune nouvelle. Natacha n'est jamais arrivée à la clinique. Je n'aurais jamais dû la laisser aller seule, mais comment faire ? Pierre, à qui j'ai envoyé un télégramme, me répond par le même canal qu'elle n'est pas à Genève. Séverine est allée à la poste dans l'après-midi, pour chercher le numéro du mari, et appelé, mais une voix féminine (une gouvernante ?) lui a répondu : « Cette personne n'habite plus ici. » Angoisse. Nous espérons que Natacha a simplement changé d'avis et qu'elle s'est arrêtée quelque part dans un hôtel. Mais pourquoi est-ce qu'elle n'appelle pas ?

14 h 00. Coup de fil de l'hôpital de Pontarlier tout à l'heure, nous demandant si nous connaissions une certaine Natalia Zabvine. Ils avaient trouvé son portefeuille, avec sa carte d'identité et le numéro de Séverine. Ne veulent rien dire, nous demandent de venir tout de suite. Nous sommes à la gare, le train arrive.

19 novembre

Natacha est morte.

24 novembre

Enterrement. Impossible de joindre le mari à temps. Il est parti en manœuvre on ne sait où, et les gendarmes français n'ont pu que transmettre la nouvelle à son commandement. Compte tenu de l'état des routes – il est tombé au moins un mètre de neige ces deux derniers jours et la nationale est coupée –, personne n'a accepté de transporter le corps à Paris. Si bien qu'au bout de quatre jours nous avons dû nous résoudre à faire inhumer Natalia au cimetière de Pontarlier. Les Zabvine, à qui j'avais téléphoné depuis l'hôpital, étaient arrivés le lendemain de l'accident. Ils sont anéantis. Sylvia les a accompagnés et n'a quasiment pas prononcé un mot. Quand je l'ai serrée dans mes bras, ses larmes ont commencé à couler, en silence. Pierre était là aussi – ce qui reste de Pierre plus exactement. Il se tenait debout, pétrifié, sa mère, blême, à ses côtés.

Nous vivons tous dans l'horreur, désormais.

29 décembre

Un mois maintenant que Natacha est morte, et j'ai l'impression qu'elle va ouvrir la porte d'une seconde à l'autre. Je n'ai pas pu écrire dans ce cahier après l'enterrement, trop dur. J'ignore quand j'arriverai à redormir la nuit.

Quand elle est partie ce matin-là pour Lausanne, pour la clinique où elle devait avorter clandestinement, je n'ai pas pu l'accompagner à cause de cette crise de migraine qui m'avait cloué au fond de mon lit. Je vomissais sans arrêt. Un médecin du coin est venu me faire une piqûre de morphine et je me suis écroulé. C'est stupide d'abandonner quelqu'un dans un jour pareil parce qu'on a mal à la tête, mais c'est bel et bien ce qui est arrivé. Séverine a hésité à prendre ma place, puis y a renoncé, car ses « voyages » un peu trop fréquents lui avaient déjà valu un contrôle serré à la frontière, et elle n'y voit plus assez clair pour conduire au retour. Et comme Natacha avait son passeport, mais pas son permis de conduire, resté à Brest, il fallait à tout prix éviter d'attirer l'attention. Séverine a tenté de contacter un autre « vieil ami » pour jouer les accompagnateurs, mais ce dernier n'était pas là. Solliciter de simples connaissances était trop risqué : une hypothétique dénonciation restait toujours possible. Et nous ne pouvions pas non plus reculer le rendez-vous obtenu à prix d'or.

Natacha a donc pris seule le volant de ma Peugeot. Avant de partir, je me rappelle vaguement qu'elle est venue me dire au revoir. Je ne voulais pas qu'elle m'embrasse, j'étais en sueur. Alors elle m'a caressé le front, un drôle de geste, un peu maternel, alors que nous ne nous touchions jamais. Je me rappelle encore sa main, toute fraîche, sur ma peau douloureuse. Elle m'a dit quelque chose en russe : que tout irait bien, je crois.

Il était prévu qu'elle nous téléphone en arrivant et que je la rejoigne par le premier train le lendemain matin. Séverine m'a ensuite raconté qu'elle avait pris un café avant de partir, qu'elle paraissait plutôt heureuse de voir le bout de l'épreuve. Elle voulait la dédommager, plus tard, pour son hospitalité, mais Séverine a coupé court. Elle l'a embrassée, en lui disant de bien prendre soin d'elle. « Pour la première fois depuis son arrivée, elle avait l'air calme, très déterminée, lucide. Je ne me suis pas inquiétée. »

La voiture est sortie de la route quelque part entre Pontarlier et La Cluse, et est tombée dans un ravin assez profond. D'après les gendarmes, la route était verglacée et il neigeait. Comme ils n'ont pas trouvé de traces de freinage, ils pensent qu'elle n'a pas vu le virage et qu'elle a défoncé la barrière de sécurité en pleine vitesse.

Elle n'est pas morte sur le coup et a été transportée à l'hôpital de Pontarlier. Elle était dans le coma quand *nous sommes arrivés là-bas. Sternum enfoncé, un trau-matisme crânien. Les médecins ne nous ont laissé aucun espoir, et elle est morte à l'aube d'un œdème cérébral. Toute la nuit j'ai tenu sa main inerte, sa main douce qui avait caressé mon visage quelques heures plus tôt. Tacha était méconnaissable, avec son visage tuméfié, le bandage qui couvrait le haut de son crâne, qu'on lui avait rasé, les tuyaux et les perfusions. Juste avant de mourir, elle a ouvert les yeux et m'a regardé fixement, avec un éclat que je n'ai jamais vu dans un regard humain. Son neurologue pense qu'il s'agissait d'un mouvement réflexe, mais je crois qu'elle a ramassé ce qui lui restait de vie pour essayer de nous délivrer un dernier message, et qu'elle n'y est pas parvenue.*

Je ne me rappelle plus dans quel état j'étais. Je n'avais dû ni manger ni dormir depuis vingt-quatre heures. Le médecin, qui me prenait pour son mari, a prononcé le décès, à voix presque basse. Il m'a fait signer un registre et m'a rendu le sac de Natacha, qui conte-nait toujours la somme dans une enveloppe marron. Un sac en cuir, tout dur, carré, laid, qui ne lui res-semblait pas ; elle avait dû l'acheter avec l'argent que je lui avais prêté, en attendant. J'ai pensé qu'en plus elle était morte loin de sa fille, de ses parents, de ses livres, sans même un objet familier à côté d'elle. La bile me remontait dans la gorge, j'avais envie de vomir. Séverine, elle, fumait en silence dans la salle d'attente, une cigarette après l'autre. Elle regardait les écailles de peinture sur le mur.

Quand nous sommes ressortis à l'air libre, sur le parking de l'hôpital, il faisait ce drôle de temps qui précède la neige. Je me rappelle très bien l'odeur humide, un peu lourde, le contact de l'air frais sur le visage, le souvenir incongru d'une après-midi de ski. Et l'idée, comme un coup de couteau dans le ventre, que tout cela était fini. Je crois que c'est là que j'ai compris. Je me suis mis à pleurer comme un enfant dans les bras de Séverine, malgré les gens qui nous regardaient.

Nous avons marché, jusqu'à trouver un taxi qui a accepté de nous emmener jusqu'à Genève malgré la météo. Nous n'avons pas dit un mot pendant tout le trajet ; la route était épouvantable. Arrivés au studio, en haut du palier, nous sommes restés au moins cinq minutes avant que l'un de nous (Séverine, je crois) parvienne à sonner à la porte. Pierre a eu l'air à la fois surpris et déçu de nous voir. « Maman, qu'est-ce que tu fais là ? » Puis, après un silence : « Natacha a reçu ma lettre ? »

À ce moment-là, je ne me rappelle pas très bien, la douleur, le manque de sommeil, le choc et la migraine ont fait un mélange. Je me suis mis à frapper (il dit littéralement : frapper comme un diable) *Pierre comme un malade. Je crois que je voulais le tuer. Je le traitais de tous les noms en hurlant en russe, je lui criais que Natacha était morte. Lui ne comprenait rien. Il a fallu que Séverine s'interpose, et le lui dise.*

Ensuite, il y a eu un grand silence. Pierre avait l'air absent, comme quelqu'un qui pense à autre chose. Je crois qu'il ne comprenait toujours pas le sens des mots que Séverine venait de prononcer. Et tout à coup j'ai entendu un tourne-disque à l'étage au-dessus, qui jouait une rengaine, une de ces chansons sirupeuses (sucrées) de Zarah Leander, Sag' mir nicht Adieu, sag' mir auf wiedersehen. *Une seconde affreuse, cette ritournelle obscène, nous trois, et puis Pierre s'est assis par terre, très lentement, comme si ses muscles avaient cessé de le porter. Son regard s'est voilé, il était vide, absolument vide. La chanson s'est arrêtée, le silence est descendu sur nous, nous a immobilisés. D'une certaine manière, il ne nous a plus quittés.*

Ensuite, tout n'a été qu'une horreur sans fin : aller attendre les Zabvine, que Séverine avait prévenus par téléphone en arrivant à l'hôpital ; Sylvia, à qui j'avais envoyé un télégramme et qui les a emmenés ; le mari introuvable. Nous sommes repartis à trois pour Pontarlier, alors que la tempête de neige s'était levée. Pierre ne parlait pas, ne disait rien. Il n'a craqué que devant le corps, à la morgue, parce qu'en plus Natacha, si belle, avait été autopsiée. Quand il est sorti, j'ai compris que cette image était rentrée dans ses yeux, en lui, qu'elle allait l'obséder pour le restant de ses jours. Il marchait, son corps bougeait, mais c'était un homme mort, à l'intérieur de lui.

Après le médecin légiste, Séverine et moi avons eu droit aux questions des policiers (des flics). Soupçonneux, insistants, parce qu'ils avaient compris le motif du voyage. Ils nous ont dit que, si ça se trouvait, Natacha s'était droguée ou suicidée, et nous ont posé des dizaines de questions sur elle, et sur nous aussi. Séverine ne s'est pas laissée démonter et ils ont fini par nous laisser tranquilles.

Comme nous n'avons pas réussi à trouver de prêtre orthodoxe, Natacha a été enterrée selon le rituel catholique. Je me rappelle surtout le vent, glacial, l'idée horrible de l'abandonner là par un froid pareil. Daria sanglotait, Oleg était figé. Il a relevé, une seule fois, les yeux sur Pierre qu'il avait reconnu, et, vu la façon dont il l'a regardé, j'ai compris que cet homme qui était la douceur même aurait voulu le tuer de ses mains. Il n'est pas stupide : il avait très bien compris que sa fille de trente et un ans n'était pas en train d'être recouverte de terre au fond du Jura à cause d'un simple dérapage dans un virage. Après la cérémonie, j'ai emmené les Zabvine boire un thé bouillant dans un café-restaurant qui sentait le chou et le graillon. Nous étions paralysés de froid. Nous avons parlé russe. Lui, raide comme un mannequin, ne cessant de répéter : « Il faut prévenir Michel, il faut prévenir Michel », et Daria, comme Natacha quelques jours plus tôt, qui se tordait les mains en se demandant ce que Léna allait devenir. Mon cœur se serre quand je pense à cette petite fille qui ne sait pas encore que sa mère est morte et qu'elle ne la reverra plus.

31 décembre

Après l'enterrement, Sylvia a laissé la voiture sur place et est repartie en train avec les Zabvine, si éprouvés et vieillis que c'en est une pitié. J'ai ramené Pierre à Genève avec son auto, et j'ai pris le volant de peur qu'il ne fasse une bêtise. La route était verglacée, il neigeait, j'ai dérapé plusieurs fois, et j'ai pensé à ce qu'avait dû éprouver Natacha, à la seconde où elle a basculé de l'autre côté du parapet.

Nous ne saurons jamais si son geste était volontaire ou pas. Elle aimait la vie, plus et mieux que les autres, mais la vie l'avait éteinte à bas bruit, avant de la décevoir pour de bon, et de la trahir. Elle savait qu'elle avait tout perdu, sa fille, son enfant à naître, son mari, et l'homme qu'elle aimait. Est-ce qu'elle a voulu en finir avec la souffrance qui l'attendait de toute part ? Elle nous laisse la question, elle est partie avec la réponse. À nous d'en souffrir, maintenant.

Ici, les festivités du premier de l'an battent leur plein, ce qui ajoute à la tristesse affreuse de ces journées. Je n'ai revu ni Pierre, ni Séverine, ni les Zabvine depuis un mois et demi. J'ignore quand et comment Michel Hivert a été prévenu, et s'il a pu se rendre sur la tombe de sa femme. J'ai reçu hier la lettre, qui m'a été retournée depuis Besançon, que Pierre avait envoyée à Natacha et qui, me dit Séverine dans le petit mot d'accompagnement qu'elle m'a adressé, est arrivée le surlendemain de l'accident. Séverine préfère me charger de la rendre à son fils. Mais je ne pense pas que je vais le faire. Quoi qu'il ait bien pu lui écrire là-dedans, il était trop tard.

1er janvier

Tenté de développer les photos, mais pas réussi à aller plus loin que la première planche-contact. J'ai honte de n'avoir qu'un cliché flou à envoyer aux Zabvine, qui ont tellement besoin d'un souvenir auquel se raccrocher. Mais je tremblais trop, ce jour-là. Et pas à cause du froid. Je me suis soûlé à mort en sortant de la chambre noire.

2 janvier

Aujourd'hui, j'ai fait un paquet avec tous les effets de Natacha, ses bijoux, le contenu de son sac, et j'ai tout renvoyé à son mari. J'ai de la peine pour lui : ce n'est pas un méchant homme. Dans le fond, elle n'a fait que céder à son père en épousant ce jeune médecin militaire toujours plongé dans ses livres ou en déplacement avec son régiment. Je ne crois pas qu'elle l'ait jamais aimé autrement que d'affection. Mais cette affection n'a pas suffi à la retenir quand sa route a recroisé celle de Pierre, il y a deux ans. Aujourd'hui, le mari se retrouve veuf, et, la dernière fois qu'il aura vu sa femme, c'était pour la chasser de chez lui. Je n'aimerais pas être à sa place. Mais à bien y réfléchir, je n'aime pas être à la mienne non plus.

13 février

Reçu un mot d'Oleg Zabvine, qui me dit que Michel Hivert leur a opposé une fin de non-recevoir. Ils ne reverront pas Léna. Daria et lui en sont malades.

15 juin

J'essaye depuis deux mois de savoir où est Léna, mais Michel Hivert a déménagé et est parti sans laisser d'adresse. Ses parents, évidemment, le couvrent et disent ne rien savoir. Les Zabvine ont réussi à faire ramener le corps de Natacha à Thiais. Ils vont la voir là-bas tous les dimanches.

17 septembre

Daria Zabvine, née Golytsine,

A la douleur de vous faire part du décès de son époux, le

Docteur Oleg Zabvine

qui s'est éteint à Paris, dans sa soixante-quatrième année.

La cérémonie religieuse aura lieu à Paris,

en l'église Saint-Serge (XIXe arr^t), le 14 septembre 1973 à 15 h 00.

17 novembre

Cela fera un an demain. Pour moi, c'est hier. Les images ne me quittent pas, je revois Natacha dans presque tous mes cauchemars. Le vieux docteur Zabvine en est mort de chagrin.

22 novembre

Hier, j'ai mis la lettre de Pierre dans une enveloppe et j'ai inscrit dessus « Pour Léna ». Je l'ai envoyée à Sylvia Makhno, en lui disant qu'il faudra transmettre le message, le moment venu. Elle est la marraine de la petite et, avec un peu de chance, Hivert finira par les laisser, elle et Daria, la revoir. Il me semble que cette enfant est la seule destinataire possible de ces mots, quels qu'ils soient, et qui pour nous n'ont plus cours. Elle grandira et, un jour, elle voudra savoir, c'est sûr. Elle voudra savoir ce qui a tué sa mère. Et nous ne serons peut-être plus là pour lui répondre.

Nous, nous n'avons été que les témoins d'une chose qui nous a tous dépassés. Onze ans d'absence, le mariage, les enfants, rien n'y a fait : ils s'aimaient encore. Il suffisait de les regarder, l'un à côté de l'autre, tellement proches, même sans se toucher, pour le comprendre. Natacha m'a confié un jour que tout le temps qu'ils avaient passé séparés avait été comme un coma pour elle. Dès lors qu'ils se sont retrouvés, ils auraient tout aussi bien pu tenter d'arrêter la mer qui monte. Ils n'ont même pas essayé.

À partir de là, qui est coupable ? Eux, sans doute, d'avoir succombé au lieu de retourner vers leurs vies respectives et de faire leur possible pour oublier. Les Zabvine, qui ont fait rompre les fiançailles, en 59, parce qu'ils ne voulaient pas que leur fille épouse un photographe sans le sou. Michel Hivert, qui a laissé Natacha seule pour élever leur petite fille, sans comprendre qu'il la perdait. Sylvia, qui n'a pas voulu l'entendre au moment où elle aurait eu besoin d'aide. Séverine, qui a organisé le rendez-vous dans cette clinique. Moi, qui l'ai laissée prendre seule le volant. Et Pierre, Pierre, qui avait beau l'aimer comme un fou, mais qui n'a jamais su se décider alors qu'elle était prête à tout quitter pour lui. Il pensait que quelques étés à Interlaken, quelques jours volés en Bretagne étaient tout ce qu'il pouvait donner, espérant je ne sais quelle solution miraculeuse... Peut-être que, dans le fond, il ne lui avait jamais pardonné la rupture de 59, qu'il avait décidé de ne rien lui sacrifier, à elle qui l'avait sacrifié, en son temps.

À quel moment aurions-nous pu arrêter la mécanique ? Lequel d'entre nous n'a pas su être le grain de sable qui aurait enrayé la marche du malheur à venir ? Je n'arrête pas de retourner ces pensées dans ma tête, la nuit. Je me revois avouant par étourderie que je devais retrouver Natacha à Dinard avec les Vassiliev, et Pierre me suppliant de lui rapporter une photo d'elle... L'aurait-il oubliée si je n'avais pas obtempéré ?

Bien qu'elle fût enceinte, la revoir avait ouvert une digue secrète en lui, comme un virus réactivé qui s'apprête à déclencher une nouvelle poussée ; je le comprenais à la façon dont ses doigts caressaient l'image. Ensuite, le malheureux enchaînement, Pierre qui arrive impromptu à Interlaken, en 70, et qui nous trouve au chalet, où Natacha était venue fuir pendant quelques jours un mariage qui commençait à l'asphyxier... Ce regard, grands dieux, ce regard qu'ils ont échangé, tous deux, le même geste en même temps, toucher leur anneau de fiançailles, dans le silence phénoménal qui s'était abattu sur la pièce... L'instant d'après, avec une lenteur douloureuse, Pierre l'avait enveloppée dans ses bras. Il l'avait enlacée avec la même délicatesse qu'on tient un bouquet de ramures (des petites branches) fragiles, et tout son corps à elle s'était laissé enrouler, s'était dissous dans cette passion calme qui disait, atome de chair contre atome de chair, aime-moi, aime-moi, aime-moi encore.

J'étais allé dormir ailleurs. Le lendemain matin, je les avais trouvés endormis, assis l'un à côté de l'autre, enlacés jusque dans leur sommeil, tout habillés. La tête de Natacha reposait contre le cou de Pierre. Leur visage était apaisé, comme s'ils étaient rentrés au port après une traversée pleine de périls. Je ne crois même pas qu'ils avaient fait l'amour. Et j'avais beau savoir le désastre que cette liaison allait provoquer dans la vie de tous, je me disais que j'aurais tout donné pour, un jour, partager avec un être ce genre d'accomplissement.

20 décembre

Difficile d'écrire dans ce cahier. Quand je l'ai commencé, Natalia vivait encore. Aujourd'hui, elle et Oleg sont morts, et son mari a disparu dans la nature avec Léna.

Je revois Pierre assez souvent. Il n'est plus que l'ombre de lui-même. Il ne m'a jamais dit ce qu'il avait écrit à Natacha, si au bout du compte il s'était ravisé. Mes quelques tentatives pour tenter de parler d'elle avec lui se sont heurtées à un silence glacial. Son mariage est fichu, mais il reste pour les enfants. Au début, j'ai pensé qu'il allait se tuer. Il ne mangeait plus, buvait énormément, tellement qu'il a failli perdre le studio. Et puis, petit à petit, la vie a repris le dessus, les photos, les albums. Mais il ne parle plus, sinon par monosyllabes, et encore. Ses pauvres enfants n'y comprennent rien, et Anna s'est réfugiée dans une bigoterie malsaine. Je vais les voir une fois tous les quinze jours et j'essaye de sortir les garçons de cette atmosphère délétère (mauvaise). Cette tragédie a déjà fait tellement de mal, et eux sont encore si innocents...

25 décembre

Suis allé passer Noël chez les Crüsten, dans une ambiance morose. Anna et Pierre ont toutefois fait leur possible pour éviter de gâcher la fête des enfants. J'ai offert une raquette neuve à Philippe et une encyclopédie de botanique illustrée à Stéphane, qui s'est pris de passion pour les arbres. Quand j'ai dit au revoir aux garçons qui m'avaient raccompagné jusqu'à la voiture, et que je les ai serrés tour à tour dans mes bras, mon filleul m'a glissé à l'oreille : « Jean, pourquoi papa il nous aime plus ? » Il est encore petit, Stéphane, mais il est déjà très sérieux, tout droit, avec ses grands yeux bleus et une petite mèche blonde qui retombe sur son front. Je vois bien qu'il souffre de ce qui se passe, parce qu'il ne comprend pas.

Je l'ai pris par le cou, je me suis mis à sa hauteur et je lui ai dit, en le regardant bien droit dans les yeux : « Il vous aime, je t'assure. C'est juste qu'il a un gros chagrin en ce moment. » Stéphane s'est mordillé les lèvres et a réfléchi quelques instants, avant de me demander : « C'est quand qu'il va l'oublier, son chagrin, papa ? » Je lui ai fait la seule réponse qui m'a paru honnête : quand il pourra.

Et je lui ai dit d'essayer de ne plus y penser.

Ashford, le 28 mars 2008

Ma chère Hélène,

Je viens de terminer la lecture du journal de Jean. Voilà qui jette un nouvel éclairage sur les choses. Décidément, une épaisseur de mensonges n'a jamais fini d'en cacher une autre.

Je t'avoue que je me sens perdu.

Lorsque je me suis réveillé auprès de toi, à Saint-Malo, tu dormais encore, et je t'ai regardée, longuement. À l'époque, je ne croyais plus que cette enquête éluciderait réellement les événements du passé, mais je m'en moquais. Elle m'avait offert ce moment de bonheur parfait. Rien que ce geste du destin était un miracle.

Après avoir lu la lettre de Sylvia (qui ignorait apparemment tout des derniers jours de ta mère), j'ai pensé, plus que jamais, que cette histoire avait fini d'exprimer sa charge toxique. Pour moi, Natalia était morte dans un accident en rejoignant mon père, alors qu'ils étaient, sans doute, tous les deux sur le point de divorcer. Rien de moins, mais rien de plus.

Le journal de Jean change la donne : un lâche irresponsable, une imprudente suicidaire, les voici un peu moins beaux, nos chers parents, ce soir.

Sans parler des autres, trop heureux d'étouffer l'affaire, je suppose, pour ne pas regarder en face leur responsabilité dans ce naufrage.

Je me sens tout à coup l'héritier de tant d'échecs, de défaites, de hontes dont je ne savais rien. Je me demande comment tu me regarderas, moi, le fils de l'homme qui a poussé ta mère au désespoir, et d'une certaine manière dans la tombe. Comment j'arriverai à oublier que tu es la fille de celle dont la disparition a achevé de briser notre famille. Je me demande dans quelle mesure nous ne sommes pas les objets d'un jeu cruel, le négatif affolé du couple qui nous a chacun pour moitié enfanté. Si nous n'allons pas remettre nos pas dans les leurs, et recommencer leurs erreurs.

Ce ne sont pas des fantômes que nous avons exhumés : ils sont bien vivants, à croire qu'ils n'en finiront jamais de semer la détresse autour d'eux. Je crois bien que je les hais. Et une des raisons de cette haine, c'est que leur histoire pèse sur la nôtre de tout son poids, jusqu'à l'asphyxie, et que je suis terrifié à l'idée de te perdre. Alors j'ai repris la plume, comme aux premiers jours de notre correspondance, dans l'espoir que le maléfice aura été conjuré, je ne sais trop comment, à l'heure où ces mots arriveront jusqu'à toi.

Éclaire-moi.

Stéphane

Paris, le 2 avril 2008

Stéphane,

Tu es désemparé, je le sais, et il y a de quoi. Mais ne les juge pas, ne les jugeons pas.

Pendant que tu plongeais en amertume, j'ai passé les derniers jours à marcher, le soir, le long du canal Saint-Martin, et à penser à eux. À épuiser les hypothèses, la colère, la révolte, la rage parfois, contre eux tous, nos parents, Sylvia, Michel. Et à me haïr moi, en définitive, pour avoir ouvert la boîte de Pandore.

Et puis je me suis calmée.

Parce que j'ai pensé que la distance qui nous séparait d'eux était infime. Nous les regardons comme deux parents, deux êtres redevables, et nous les sommons à titre posthume de se justifier devant notre tribunal. Nous les détestons d'avoir été silencieux, disparus, adultères, menteurs. Mais eux n'étaient qu'eux, finalement : un homme et une femme, épris, déchirés entre l'amour qu'ils avaient l'un pour l'autre et celui des leurs.

Tout ce qu'ils ont tenté pour renier cette passion, les contraintes qu'ils se sont imposées n'ont fait qu'aggraver les choses. La rupture des fiançailles, le double mariage, les enfants, l'éloignement n'y ont pas suffi. S'ils se sont retrouvés, c'est certainement parce que ce qui les attachait l'un à l'autre avait résisté à tous les obstacles que la vie – ou eux-mêmes – avait dressés sur leur route.

Nous regardons aujourd'hui leur trajectoire à l'aune de nos libertés conquises. C'est facile. Mais ma mère était mineure jusqu'à vingt et un ans, et s'est mariée à vingt-sept : presque toute une vie dans la sujétion, celle d'une famille, puis d'un époux. Oui, elle est tombée enceinte de ton père. Peut-être auraient-ils pu l'éviter, peut-être pas : on ne demandait pas la pilule dans les années 70 avec la même facilité qu'on l'obtient aujourd'hui.

En avortant, elle risquait gros ; clinique ou pas, va savoir quelles auraient été les conséquences... Et elle a voulu en passer par là parce qu'elle était prête à n'importe quelle concession, y compris perdre l'enfant de l'homme qu'elle aimait, pour me revoir. Je n'arriverai jamais à lui en vouloir pour cela. Je n'arriverai pas à la blâmer d'avoir eu peur. Au risque de te choquer, je lui en voudrai d'autant moins que, moi aussi, j'ai failli passer par ce choix, qui m'a coûté une relation de dix ans (le fameux Hervé auquel Sylvia fait allusion). Ce jour-là, j'ai compris que, parfois, certaines résistances sont insurmontables, et que l'on est prêt à payer n'importe quel prix pour y échapper, même si cela doit nous détruire. Et je suis convaincue que, si ma mère avait choisi cette option désespérée, c'est qu'elle se sentait traquée, à court de solutions. De fait, tout le journal de Jean nous dit qu'elle l'était.

Comme tu t'en doutes, je ne trouve pas la fuite de ton père très glorieuse, mais penser qu'il a, par son silence, poussé ma mère dans le ravin est absurde, aussi absurde que de penser qu'elle s'y est jetée volontairement. Pierre a eu peur. Et il a sans doute eu peur, surtout, de perdre ses enfants. Tu me l'as dit, il n'était pas très présent : mais vous saviez qui il était, ce qu'il faisait, où le trouver. Philippe m'a raconté que ton père avait accompagné ta mère jusqu'au bout dans la maladie : cette fidélité-là, maintenue dans l'épreuve et dans la désunion, est bien rare, et elle est sans doute la preuve la plus évidente que toute intégrité ne l'avait pas déserté. Avec ma mère, Pierre n'a pas eu le temps de racheter ses erreurs ; l'accident l'a figé dans le rôle du salaud éternel.

Chaque jour, après la mort de Natalia, a dû être un calvaire pour eux tous. Combien de reproches crois-tu que lui et Michel Hivert se soient faits ? Penses-tu qu'ils aient pu oublier, un seul jour, une seule nuit, que tous deux avaient rejeté la femme qu'ils aimaient et qu'ils l'avaient perdue de manière définitive ? Ce que nous ressentions comme leurs ombres, toi et moi, était surtout la culpabilité qui les rongeait et faisait de leur moindre souvenir un supplice. Trente ans après, ton père allait encore sur la tombe de Natacha, et le mien claquait les portes en entendant Sylvia m'appeler « Léna »... Ne les accable pas, Stéphane. De leur vivant, ils ont dû bien assez s'accabler tout seuls.

Je crois pour ma part qu'il est l'heure de pardonner ce qu'eux et ce que les survivants ne se sont pas pardonné. Pierre et Natalia se sont aimés, ils nous ont aimés et, qu'on le veuille ou non, nous sommes aussi les héritiers de cet amour-là. Ceux qui restaient se sont tus, mais ils l'ont fait pour se protéger, nous protéger. Ils ne méritent pas davantage notre opprobre.

Bien sûr, nous en avons souffert. Et nous n'en avons sans doute pas encore décousu avec les conséquences d'un secret aussi violent, qui a déjà coûté tant de peine, et empli les deux cent vingt albums de ton père d'une tristesse indélébile. Mais la conclusion à laquelle tu arrivais dans une lettre précédente est la bonne. Nous sommes maintenant les titulaires exclusifs de ce passé, et donc les seuls responsables de ce que nous souhaitons en faire.

Aujourd'hui, Stéphane, lorsque je pense à eux deux, je mesure la force de leur lien, ce lien qui nous a conduits l'un vers l'autre à trente-sept ans de distance, à partir d'une improbable coupure de journal. Je me dis que ce matin ensoleillé, à Saint-Malo, la tendresse de notre premier café partagé, dans la lumière rase de février qui faisait onduler la mer comme cristal et feuille d'or, c'est à eux que nous le devons. Oui, c'étaient eux sur la photo, qui nous parlaient, nous appelaient... Je les contemple jusqu'au vertige et je crois les entendre nous dire qu'il faut vivre maintenant, saisir la chance qu'ils ont laissée échapper.

J'aimerais tant que tu me reviennes.

Et que l'on s'aime.

Je t'embrasse.

Hélène

*

Ce sont deux photos que nul ne verra jamais. L'une, affolante, d'une 504 qui est sortie de la route et a plongé dans le vertige d'un ravin. Barrière défoncée et béante, amas de tôle renversé, roues à l'air libre, arbustes arrachés sur le passage, saignées brunâtres dans la terre mêlée à la neige donnent à cette scène atroce une beauté mélancolique parfaitement déplacée. L'image dort dans un dossier de gendarmerie, stocké avec d'autres dans un carton, entassé dans un entrepôt qui en contient des milliers de la même espèce. Après la prescription des délais, lorsque l'afflux permanent de nouveaux dossiers, archives, pièces à conviction obligera à libérer de l'espace, la boîte sera chargée sur une palette, puis déposée dans un camion-benne, dont le contenu sera à son tour déversé dans un incinérateur, où il finira sa course.

Pendant ce temps, à l'heure où le photographe de la gendarmerie est en train d'appuyer sur le déclencheur, un homme désemparé, dans une pièce encombrée, à Genève, se regarde dans un miroir. Son visage est défait, marqué de cernes lourds, pas rasé depuis au moins trois jours. La chemise a connu des moments meilleurs. Cependant, l'angoisse qui avait resserré le bleu du regard autour d'un éclat sombre, comme les pupilles rétractiles des chats, s'est dissipée. Elle a fait place à la certitude lasse que donne la reddition après une longue bataille, à la détente du soulagement. Et l'homme, qui n'a plus touché un appareil depuis trois semaines, décide alors qu'il va tenter de photographier cet instant d'hiver.

Bientôt, le printemps sera revenu, et la chaleur des rayons lumineux viendra caresser la peau de son modèle, à qui il a écrit la veille une lettre déterminante pour leur avenir à tous les deux. Il imagine qu'il l'assiéra non loin de la fenêtre, sur un tabouret blanc, d'où la silhouette accusera la légère protubérance d'un ventre naissant. Avant de retourner vers l'appareil, il posera ses deux mains sur les avant-bras minces et le bracelet aux deux serpents et les y laissera quelques secondes, ses yeux plongés dans ceux de la jeune femme, comme un adieu avant d'aller rejoindre l'autre rive du regard. Et ce jour-là, il sait qu'il fera la photo définitive, l'alpha et l'oméga de tous les spectacles que le monde lui aura offerts.

Il saura forcer la matière, l'impermanence, la mort, l'oubli à rendre les armes. Les lumières, subjuguées par son geste ultime, esclaves du sortilège mécanique, convergeront sur le visage d'une seule, pour écrire dans l'image une vérité d'ordinaire vouée à lui échapper : une fois né, l'amour, quelle que soit la destinée qu'on lui réserve, est irrévocable.

Collection "Arléa-Poche"

ACHEVÉ D'IMPRIMER
EN AVRIL 2014
SUR LES PRESSES DE
CORLET IMPRIMEUR
À CONDÉ-SUR-NOIREAU
C A L V A D O S

Numéro   d'édition :   1039
Numéro d'impression : 163981
Dépôt légal : novembre 2013
Imprimé   en   France